DOSSIERS
DOCUMENTS

ADIEU MÉDECINE, BONJOUR SANTÉ

Docteur Serge Mongeau

ADIEU MÉDECINE, BONJOUR SANTÉ

QUÉBEC/AMÉRIQUE

450 est, rue Sherbrooke, Suite 801,
Montréal, Québec, H2L 1J8
Tél.: (514) 288-2371

du même auteur, aux éditions Québec/Amérique

Vivre en santé (1982)

Survivre aux soins médicaux (1982)

DÉPÔT LÉGAL:
4e TRIMESTRE 1982
BIBLIOTHÈQUE NATIONALE DU QUÉBEC
ISBN 2-89037-133-6

PRÉFACE

Je suis médecin et pourtant je ne pratique pas la médecine; je m'intéresse cependant à la santé. Cette attitude apparemment paradoxale intrigue: que de questions m'a-t-on posées à ce sujet! Chaque fois, j'ai tenté d'expliquer; mais je sentais bien que mes interlocuteurs n'étaient pas satisfaits, qu'ils n'arrivaient pas à comprendre mon geste. C'est alors que j'ai décidé d'écrire ce livre.

Je vois dans mon cheminement bien davantage qu'un intérêt anecdotique; il me semble en effet que tous ceux qui sont en quête de la santé devraient aussi, d'une certaine façon, prendre leurs distances par rapport à la médecine. Comme je l'ai découvert avec le temps, *trop souvent la médecine rend malade; toujours elle présente des dangers*. Il est donc essentiel de garder vis-à-vis d'elle un esprit critique sévère. Ce sont là de bien lourdes constatations; j'y suis arrivé peu à peu, au fil des ans. Mes expériences, mes lectures, mes réflexions m'y ont conduit. C'est ce que raconte ce livre. J'ai tenté d'y expliquer, à partir de mon vécu et à l'aide de textes écrits en diverses occasions, comment j'en suis arrivé à tourner le dos à la pratique médicale et même à en devenir un des dénonciateurs les plus virulents. J'espère sincèrement que ces pages aideront: les consommateurs de soins, pour qu'ils ne s'abandonnent pas aveuglément entre les mains d'une médecine par trop aléatoire ; et les dispensateurs de soins, pour qu'ils apportent à leur pratique les nombreuses améliorations qui s'imposent.

J'espère que les lecteurs excuseront les quelques redites et peut-être même quelques contradictions ; ma pensée a évolué lentement, souvent en poussant un peu plus loin une idée conçue à un moment donné ; et avec les ans, j'ai modifié totalement certaines idées.

CHAPITRE PREMIER

LES ÉTUDES EN MÉDECINE

C'est un peu par hasard que je suis arrivé à la médecine. À la fin du collège — c'était l'époque des collèges classiques — j'avais opté, dans un grand élan de sacrifice, pour la prêtrise. Je croyais que la situation de prêtre me fournirait le meilleur tremplin pour rendre service. Car c'était là ma préoccupation première: aider les autres.

Plus approchait le moment de m'engager définitivement, plus je me dérobais. Si bien qu'à l'été 1957, ne sachant vraiment plus que faire, j'optai pour le génie civil; mon frère était ingénieur et semblait aimer son travail... Mon frère réussit à me trouver un emploi d'été à son bureau, ce qui me permit de me faire une idée un peu plus précise sur la vie de l'ingénieur: j'aurais peut-être les capacités pour calculer la pente à donner à un égout, mais je n'aurais pas la persévérance pour le faire toute ma vie. J'étais vraiment très confus; aussi décidai-je de consulter un orienteur professionnel. Celui-ci me soumit à la batterie de tests habituels pour finalement me recommander ou l'enseignement ou la médecine; ces deux professions répondraient en effet les mieux à mes goûts et mes aptitudes, où l'on pouvait distinguer deux nettes dominantes : le scientifique et le social. « La médecine est très scientifique et, pour qui le veut, peut devenir un excellent moyen de rendre service aux autres. »

Septembre 1957 : je commence à l'Université de Montréal, en pré-médical, car je n'étais pas dans la bonne option au collège. J'arrive bardé de conseils, du genre : « Ne t'embarque pas dans les organisations, tu n'en sortiras pas et tu négligeras tes classes... »

Alors que je me prépare à entrer dans le domaine de la santé par la grande porte, j'y pénètre déjà par une porte dérobée : je commence à travailler à l'hôpital Maisonneuve pour payer mes études ; comme garçon d'ascenseur. C'est un poste d'observation privilégié ; le garçon d'ascenseur fait partie des meubles, des appareils de l'hôpital, il ne vaut pas un regard de la part de tous ces demi-dieux qui ont pris possession de l'hôpital et qui daignent dispenser leurs bons soins aux pauvres malades. Médecins en blouse blanche, internes tout en blanc, infirmières en costume blanc, étudiantes infirmières en gris et avec coiffe ; la hiérarchie est visible et simplifiée. Le garçon d'ascenseur, la préposée aux cuisines, le laveur de planchers sont des demi-êtres auxquels on ne s'adresse que pour donner des ordres ou faire des reproches. Ce sont des êtres non pensants, donc on peut dire n'importe quoi devant eux, agir de n'importe quelle façon. Conduire des ascenseurs douze ou quinze heures par jour dans un hôpital, c'est vraiment une excellente façon d'entrer dans le monde médical. Après quelques semaines de travail à temps partiel à l'hôpital, je note dans mon journal :

> *Je suis à lire* La peste, *de Camus. On y trouve une sévère analyse des sentiments des acteurs de ce drame horrible. Tous, ils deviennent insensibles à la douleur des autres, et même à la leur; ils perdent toute pitié. Je remarque la même chose à l'hôpital. Les infirmières, à force de manœuvrer des patients à longueur de journée, deviennent sans prévenance pour eux, malgré la douleur qu'elles causent parfois.*

Mes études en pré-médical me demandaient peu de temps; au plan scolaire, c'était vraiment une année perdue, car je n'y voyais presque pas de matière nouvelle. C'est le tribut que je devais payer à mon acceptation par la prestigieuse faculté de médecine, qui se permet d'examiner chaque candidature à la loupe pour n'accueillir en son sein que les jeunes qui viennent des bons collèges et des bonnes options, où ils ont obtenu de bons résultats, et qui ont des parents bien placés dans la société.

J'employais le temps dont je disposais à travailler pour gagner mes études. Je travaillais beaucoup; je ne dormais pas plus de quatre ou cinq heures par nuit. Ça n'était pas très satisfaisant comme vie:

Je n'aime pas beaucoup la vie que je mène. Étude, travail et c'est tout.

Il me semble que je vis seul sur mon île.

Demain, que deviendrai-je ? Le petit médecin bourgeois qui soigne bien ses patients, gagne bien sa vie, élève bien sa famille ? Il se pourrait...

Vague malaise que je cherchais intensément à identifier dans l'espoir de trouver les moyens de le conjurer.

L'année scolaire se termina sans que j'aie réussi à trouver le moyen de me sortir de mon isolement, de mon île. Cela devenait urgent, car je ne pourrais résister longtemps à l'influence du milieu dans lequel j'évoluais. Déjà après une seule année d'université (et en pré-médical en plus!) je devenais «médecin»:

C'est étonnant comme je me suis développé au point de vue médical, cette année. Pourtant, en classe, nous avons fait peu ou pas de médecine. Mais seulement le fait de prendre intérêt à la question, de ne perdre aucune occasion de m'instruire en la matière auront suffi.

Durant tout l'été, je fus préoccupé; je savais que si je voulais devenir un médecin différent des autres, je devais trouver le moyen de conserver l'idéal qui m'animait. Car de tous côtés on me prévenait: «on se reverra quand tu seras médecin, tu vas voir que tu vas alors penser autrement». Et je voyais bien le cynisme qui caractérisait bientôt ceux qui avaient étudié quelques années en médecine.

À mon avis, j'ai deux voies qui s'ouvrent devant moi:

1) continuer mon cours de médecine, mais prendre cela plus aisément dans mon travail extrascolaire; gagner juste ce qu'il me faut pour vivre chez mes parents. Lire beaucoup, profiter de toutes les opportunités pour m'instruire. Et, reçu médecin, attaquer de front la vie.

2) Toujours continuer mon cours, mais en changer l'allure. Quitter tout de suite ma peau d'étudiant insouciant, m'aventurer seul dans la vie, prendre ma responsabilité d'homme conscient de l'existence des autres hommes.

Quelle voie choisir? La première, je la connais. J'en suis saturé. Vient un temps où cela suffit, de se préparer «pour plus tard». Et je ne suis pas satisfait de cette vie en serre chaude. Si je choisis la seconde voie, j'aurai moins d'occasions d'apprendre. Ou plutôt les occasions ne seront pas les mêmes, car j'aurai beaucoup moins de temps disponible. Aurais-je la force de tenir? D'autres l'ont fait avant moi. De toute façon, il faut faire quelque chose, car ma vie s'annihile petit à petit. Continuer deux ans à ce rythme et je serais une parfaite nullité, celle qu'on m'a prédit que je deviendrais par mon cours de médecine. Je ne voudrais pas être un de ces médecins mécanisés, qui ne s'occupent pas de l'individu. Chaque être a une âme, une vie personnelle, des sentiments bien à lui. Ce n'est pas une automobile qui passe entre les mains du garagiste.

Septembre 1958: je quitte mes parents pour m'installer en appartement près de l'université. Avec un confrère, nous avons loué un sous-sol d'une pièce et demie. J'ai plusieurs emplois à temps partiel et j'étudie le plus possible; la matière à couvrir est si vaste que nous en sommes écrasés; il n'y a absolument pas moyen de tout couvrir et d'avoir l'impression d'avoir fini, à un moment donné. Par chance, certains de mes emplois me permettent d'étudier tout en travaillant.

À l'hôpital Maisonneuve, où je continue à conduire les ascenseurs, je complète mon «éducation» sur le monde médical. Comme j'étudie en travaillant, mes manuels attirent l'attention et j'assiste à une transformation radicale de mes rapports avec le personnel ; quand on apprend que j'étudie en médecine, je deviens un être digne d'intérêt à qui on peut parler.

Pendant toute l'année, je n'arrive pas à me satisfaire de cette vie pourtant fort remplie ; je sens confusément qu'il manque une dimension à la formation du médecin que je veux être. J'en parle à des compagnons de classe qui semblent avoir le même type de préoccupations, et peu à peu nous esquissons, à trois, un projet d'équipe de vie, qui nous permettrait d'échanger et de nous renforcer mutuellement dans nos espoirs quelque peu marginaux par rapport à la masse des étudiants en médecine. En mars 1959, un groupe d'étudiants de Québec vient donner une conférence à l'université sur un mouvement qu'ils viennent de mettre sur pied : les Chantiers. Nous assistons tous les trois à la conférence et en sortons convaincus :

> *Nous avons mordu. Car depuis longtemps mûrissait ce projet d'équipe de vie. Nous avions trouvé qu'il faudrait la rattacher à du concret. Et aujourd'hui, on nous offre mieux. Le concret est là, nous devrons y rattacher l'équipe de vie si nous voulons arriver à quelque chose.*

Les Chantiers ont été fondés par deux étudiants qui sont allés vivre un an aux côtés de l'abbé Pierre, dans les bidonvilles de Paris. À leur retour à Québec, ils ont décidé de s'attaquer à la pauvreté de leur ville avec la même détermination que l'abbé Pierre.

Je me lance éperdument : dans les jours qui suivent, je me dégage de la plupart de mes emplois et me rends à Québec pour voir, questionner, comprendre. Je suis séduit par l'engagement de ces jeunes qui se sont lancés à fond dans un travail concret *avec* les défavorisés et non *pour* eux, comme les œuvres traditionnelles avaient coutume de le faire. Je trouvais enfin la façon d'intégrer à ma vie ces préoccupations sociales que ni mon travail ni mes études ne réussissaient à satisfaire.

Les années suivantes seront d'une intensité peu commune ; car les Chantiers ont débordé très rapidement les cadres de notre petite équipe de vie (qui d'ailleurs n'a jamais pris forme) pour embrasser toute la communauté universitaire et bientôt occuper une place importante sur la scène montréalaise. Les Chantiers s'étaient fixé trois buts :

a) lutter contre la misère et ses causes, surtout au niveau familial ;
b) éveiller les membres aux problèmes de la misère universelle et de ses causes ;
c) éveiller l'opinion publique sur ce même problème.

Les actions pour promouvoir ces buts furent très nombreuses ; j'ai dû passer autant d'heures aux Chantiers que dans les salles de cours ou dans les hôpitaux. Dans Saint-Henri où l'action du mouvement se déroulait surtout, ma contribution ne se situait pas dans le domaine médical ; nous respections trop ceux avec qui nous vivions pour leur faire subir des apprentis médecins. Nous avons donc peinturé des murs et plafonds (plus de mille gallons de peinture en une année), fait étudier des enfants, mis sur pied une chaîne de magasins d'objets usagés, monté un atelier de réparation de meubles pour faire travailler des anciens détenus, construit une maison, etc. Nous avons finalement tellement agi que nous en avons oublié de réfléchir. Pour ma part, cette activité débordante m'a permis de terminer mes études sans trop m'en rendre compte ; j'ai bien pris conscience que le système d'enseignement était étouffant et qu'à mesure qu'on approchait de la fin, on se déshumanisait ; j'ai réagi à quelques reprises devant le peu de considération qu'on accordait aux patients de salles (sur l'assistance publique) ; j'ai tenté d'éveiller d'autres étudiants à la solidarité avec les milieux défavorisés ; avec les « démunis » que je côtoyais quotidiennement (je vivais avec eux), j'ai tenté de trouver des moyens pour que tous aient de quoi vivre ; mais durant toute cette période, je n'ai jamais vraiment remis en question le système qui permettait de telles inégalités sociales.

À l'université et tout particulièrement au sein de la faculté de médecine, j'essayais, avec mon grand ami

Pierre Viens, de secouer les confrères et consœurs pour qu'ils prennent conscience de leur état de privilégiés et qu'ils s'impliquent immédiatement dans des actions concrètes en faveur des moins privilégiés. Le *Montréal Médical*, revue des étudiants en médecine, et le *Quartier Latin*, journal des étudiants de l'Université de Montréal, publièrent plusieurs de nos textes. Ainsi, le 15 février 1960, le *Montréal Médical* publiait cet article :

UNE DÉCOUVERTE : UN NOUVEAU TYPE D'HOMME

On divise tantôt l'homme par la couleur de sa peau, tantôt par son origine (latin, saxon...). Mais il se trouve un type d'homme qui fait fi de toutes ces catégories : l'étudiant en médecine. Après quelques observations, il m'est possible de le décrire sans grand danger d'erreur, car il se présente à quelque cinq cents exemplaires à mes yeux.

Le futur médecin est pragmatique. Ne l'intéressent que les activités qui lui rapporteront « quelque chose ». Rapidement il sait choisir les cours qu'il suivra : ceux où il apprend quelque chose de palpable, surtout ceux où il doit passer des examens. (...)

À l'instant où un professeur devient humain, où il parle d'autre chose que de plaies ou de cellules, on sent un genre d'indignation flotter dans la classe : « On s'en fout de ses idées ; qu'il nous donne sa science... »

En psychiatrie, de très bons médecins viennent nous communiquer leur expérience. Mais l'examen de fin d'année n'est pas important (en deuxième), et il y a un bon résumé qui se vend...

À l'hôpital, rapidement on se déshumanise : les patients ne deviennent plus que des cobayes entre nos mains : quinze autour d'un même lit, chacun s'empresse de tâter ici ou là, sans considération de la douleur qu'on peut causer, ni de la gêne ou de l'impatience que l'autre peut ressentir. Après tout, ce n'est qu'un homme (ou une femme), tandis que nous... Est-ce que chacun d'entre nous s'est déjà vu à la place de ce pauvre type devant nous, qui le plus souvent est un cas d'Assistance publique et ainsi, ne peut même pas refuser de se laisser « tripoter » d'une telle façon ? À sa place, on exigerait davantage de prévenances de ceux qui apprennent leur métier sur nous, à qui en fait nous rendons un fier service ; ces mêmes hommes qui, dans quatre ou cinq ans, nous chargeront des prix exorbitants pour avoir posé ces gestes qu'ils auront appris sur nous.

Interne, il lui est permis d'être arrogant et hautain ; il est maintenant en possession de tous ses moyens, il est de la race supérieure. Ses préoccupations n'ont pas beaucoup changé ; au lieu de vouloir apprendre des choses concrètes, il s'attaque à des problèmes concrets : le feuillet publicitaire de l'Association des Internes de Montréal en est témoin : on n'y parle que d'argent : réduction sur l'essence, assurances, les problèmes d'affaires et de finances, etc.

En mai 1962, je termine enfin mon cours et entreprends l'internat d'un an. Avec toutes ces heures passées à travailler ou à œuvrer aux Chantiers, mes notes ne sont pas très élevées ; aussi dois-je me contenter des stages qui restent, car le choix se fait selon le rang obtenu. Je ferai donc quelques mois à Ste-Justine, à Notre-Dame et à Maisonneuve. La plupart de mes stages m'obligent à des gardes aux deux ou trois nuits. Je m'éloigne quelque peu des Chantiers pendant cette période ; car les nuits de garde signifient souvent des nuits complètes de travail ; les internes font l'ouvrage, les médecins attachés à l'hôpital (les « patrons ») perçoivent les honoraires. Sauf pour quelques médecins qui prennent au sérieux leur rôle d'enseignants, l'hôpital devient souvent un moyen institutionnalisé de faire travailler une main-d'œuvre à bon marché (les internes et les résidents, c'est-à-dire ceux qui se préparent à devenir spécialistes) au profit de médecins qui théoriquement supervisent le travail et font de l'enseignement, mais qui trop souvent se contentent d'une visite symbolique ; les résidents, qui sont surtout ceux qui font l'ouvrage (y compris l'enseignement aux internes) ne protestent pas car ils savent qu'ils bénéficieront du même système dès qu'ils auront terminé leur spécialité.

L'internat fut épuisant, mais passionnant. Après tous ces cours théoriques souvent tellement éloignés des problèmes que nous aurions à traiter, il faisait bon d'avoir à s'occuper d'individus aux prises avec des problèmes concrets. Nos professeurs nous avaient donné des cours — et quelques-uns continuaient à le faire à l'hôpital — sur les maladies rares, sur les cas «intéressants», sur les recherches théoriques. Or, surtout en consultation externe, nous nous retrouvions devant des personnes qui ne souffraient d'aucune de ces maladies rares mais qui avaient besoin d'aide ou qui étaient affectées d'un mal courant devant lequel nous n'aurions su que faire, n'eût été des infirmières qui subtilement — pour ne pas choquer l'orgueil des «docteurs» — nous montraient notre métier; et dès qu'on en savait assez, on se dépêchait de les «remettre à leur place» quand elles s'avisaient d'émettre leur idée sur la meilleure conduite à tenir dans telle situation.

Le cours de médecine n'est pas fait pour préparer des praticiens de première ligne, les généralistes ou les omnipraticiens comme on les appelle; le cours vise à développer des gens qui deviendront des chercheurs ou des spécialistes. Quand on se destine à la médecine générale, il est absolument inadapté. Je me dirigeais vers la médecine de première ligne et j'avais l'intention d'exercer ma profession dans un secteur défavorisé. À cette époque, l'assurance-maladie n'existait pas encore et l'assurance-hospitalisation ne payait que pour les services dispensés pendant l'hospitalisation; les services externes (radiologie, laboratoires, etc.) de même que les consultations médicales devaient être défrayés directement par les patients ou par leurs assurances privées, pour ceux qui en avaient. Les Chantiers nous avaient permis de voir de près comment les gens ayant de faibles revenus s'en tiraient, avec un tel système de santé:

- les comptes de médecins constituaient une part importante de leurs dettes;
- les gens hésitaient à consulter un médecin à cause des coûts que cela entraînait;

— ceux qui se résignaient à faire appel aux services de l'hôpital (en consultation externe) ressentaient durement leur condition d'assistés sociaux;
— avec son approche curative, la médecine intervenait souvent trop tard dans des problèmes dont l'origine était clairement sociale.

Pour aider les gens à revenus modestes en tant que médecin, il me fallait développer une approche qui permette les meilleurs soins sans rompre l'équilibre financier précaire de ces gens. La médecine qu'on nous enseignait à l'hôpital tendait exactement au contraire; on nous assignait à un «patron»-spécialiste qui nous considérait comme apprenti spécialiste. Il fallait toujours penser aux maladies les plus rares et faire une foule d'analyses et de radiographies pour les éliminer, il fallait aussi respecter rigoureusement les champs de pratique de chacun et ne jamais hésiter à demander une consultation à un autre spécialiste dès qu'on soupçonnait une maladie d'une autre partie du corps ou dès que le patient se plaignait d'une douleur ailleurs que dans notre spécialité. À peine une couple de centimètres séparent le méat urétral du vagin, mais l'un relève de l'urologue et l'autre du gynécologue...

Je ne voulais pas pratiquer de la médecine d'hôpital dans mon bureau; j'essaierais donc d'être le plus autonome possible et je tentais de me préparer en conséquence. Je profitais de toutes les occasions pour apprendre le plus de techniques possible et pour trouver, dans la littérature médicale, les rares textes qui étaient réellement orientés vers la médecine générale. Les autres étudiaient en fonction des «colles» qu'on pourrait leur poser aux examens, je me préparais à faire de la médecine de campagne.

CHAPITRE 2

LA MÉDECINE GÉNÉRALE

En mai 1963, je recevais enfin mon diplôme de médecin. En sortant de la collation des grades, je ne portais pas à terre ; il me semblait que tout le monde me regardait et devinait que j'étais médecin ; j'étais un de ces héros à la A. J. Cronin ! Le mythe m'avait subjugué.

Nous avons décidé, ma femme et moi (notre mariage avait eu lieu au milieu de la 3e année de médecine) de nous installer dans un secteur que j'avais connu pendant les Chantiers et qui était situé sur la rive sud de Montréal, Notre-Dame du Sacré-Cœur et Croydon. Ces petites municipalités contiguës étaient nées du désir des gens qui, pour fuir un Saint-Henri, s'étaient acheté un terrain et y avaient construit leur bicoque ; cela leur avait été possible à cause de l'absence de règlements de construction et des faibles taux de taxes, les municipalités ne fournissant presque aucun service (ni aqueduc ni égout). Au moment de notre arrivée, la situation s'était quelque peu modifiée, car les municipalités s'étaient organisées ; mais les nouvelles charges financières qui s'abattaient sur les gens menaçaient leur équilibre fort précaire. Il va sans dire que j'étais le premier médecin résident.

Dès le départ, j'ai déconcerté les gens. Mon bureau était à la maison ; j'étais donc facilement accessible, ce qui faisait déjà différent. Nous possédions une maison comme celle de nos voisins (un débardeur, un « shipper », un camionneur, un ouvrier de la Northern, etc.) ; je refusais ce supposé « standing » qu'on doit avoir si on veut en imposer ; ne portant jamais de cravate, je roulais en Volkswagen, au grand désespoir des autres médecins de la rive-sud. Mon revenu net a été de 11 000 $ par année (1963 à 1965) alors que celui de mes confrères dépassait les 30 000 $ par année. Pourtant, ce n'était pas parce que je manquais d'ouvrage ; mais à 3,00 $ par visite à domicile et à 2,00 $ au bureau, mon revenu ne pouvait être beaucoup plus élevé. C'était d'ailleurs suffisant et nous vivions sans avoir l'impression d'exploiter.

Tout en pratiquant la médecine, je continuais à participer aux Chantiers ; j'essayais surtout de m'impliquer dans la formation des nouveaux membres et je prononçais également de nombreuses conférences à travers le Québec, en conformité avec notre objectif d'être « la voix des hommes sans voix ». En octobre 1964, avec une vingtaine de responsables des Chantiers, nous avons consacré plusieurs journées à une réflexion profonde sur l'orientation du mouvement. Nous avons fait l'unanimité sur les axiomes qui devaient être à la base de nos actions :

1) tous les êtres humains ont le droit de s'épanouir selon les possibilités qu'ils ont ;
2) le but d'une société est d'assurer et garantir le libre et plein épanouissement de tous ses membres ;
3) la société dans laquelle nous vivons permet l'existence de conditions sociales et économiques qui limitent le plein épanouissement de certains individus.

Par la suite, nous avons établi de façon claire que les Chantiers ne voulaient pas être une œuvre de charité, mais un mouvement de justice sociale ; nous ne voulions pas soulager la misère, mais permettre à ceux qui en souffrent de s'en sortir eux-mêmes. Quelques mois plus tard, constatant que cette orientation n'était pas suivie mais qu'on retournait à des formes d'assistance que je jugeais paternalistes, je démissionnais des Chantiers.

Sans avoir fait de moi un expert en médecine générale, mes deux années de pratique comme omnipraticien m'ont permis un certain nombre de réflexions.

Aux yeux de la grande majorité, le médecin demeure une sorte de sorcier; même pour les contestataires qui s'insurgent contre la déification des médecins, quand eux-mêmes sont touchés et doivent recourir aux soins médicaux, leur propre médecin devient auréolé et nanti de pouvoirs spéciaux. Un peu comme, il n'y a pas si longtemps, nos bons curés; et de la même façon qu'eux, les médecins ont utilisé leur magie pour s'octroyer plus de pouvoirs:

1) ils ont réussi à convaincre la population qu'ils sont les seuls détenteurs de la vérité; chiropraticiens, naturopathes, podiatres, optométristes, ... ont été condamnés sans discernement et écartés de l'organisation officielle des services de santé;
2) ils ont fait croire que leurs études étaient à nulle autre comparables, exigeant une capacité intellectuelle et un travail absolument surhumains, et qu'en conséquence leur diplôme leur donne le droit d'exiger des revenus parmi les plus élevés;
3) ils ont imposé l'image de savants sûrs d'eux-mêmes, alors que la profession comprend aussi sa proportion de crétins et de déphasés qui n'ont pas ouvert un livre depuis dix ou vingt ans.

J'ai voulu m'inscrire en faux contre cette image traditionnelle du médecin omnipotent et omniscient; il n'a pas été facile de «rééduquer» mes patients, car ils n'avaient jamais vu un médecin qui refusait de ne soigner que des symptômes, qui ne donnait pas une prescription à chaque visite, qui n'hésitait pas à ouvrir ses livres devant eux pendant la consultation, qui roulait lui-même ses cigarettes, qui se véhiculait en Volkswagen, qui dévoilait aux malades les mystères de leur maladie. J'ai souvent lu la perplexité dans le regard de ceux qui me consultaient ; mais on a appris à me connaître et à apprécier les efforts sincères que je faisais.

De l'intérieur de la profession — en faisant partie moi-même —, j'ai découvert des faiblesses étonnantes dans cette armature apparemment si solide : la vénalité de certains, pourtant loin de l'indigence, qui soignent inutilement par des séries d'injections, ce qui leur permet de revoir fréquemment les patients ; la malhonnêteté qui permet de fournir un certificat de maladie à un voisin ou un ami qui veut profiter de l'été pour peinturer sa maison ; l'irresponsabilité de celui qui visite des patients alors qu'il se trouve en état d'ébriété ou sous l'effet des drogues ; l'incompétence de ceux qui suivent des patients depuis dix ans sans avoir jamais pratiqué un examen physique complet.

J'avais toujours pensé que les hôpitaux existaient pour les malades ; j'ai dû corriger mon impression, car j'ai découvert qu'ils avaient été construits pour les MÉDECINS, pour DES médecins devrais-je dire, car n'entre pas à l'hôpital qui le veut. L'autorisation pour un médecin d'admettre ses malades à l'hôpital est liée à des forces obscures, qui dans certains cas m'ont paru d'ordre politique, mais dans d'autres non. De toute façon, je ne me suis pas prêté au jeu du trafic d'influences et ma situation pour l'hospitalisation a été fort précaire, au point de devoir faire presque tous les accouchements à domicile ou dans de petits hôpitaux privés, ce qui était pratiquement la même chose ; alors que je savais fort bien qu'à l'hôpital de ma région, on réservait une série de lits pour les Dr Untel et Untel, « *au cas* où ils auraient des accouchements ».

Sur la Rive-sud où je pratiquais, j'ai eu l'occasion de découvrir des stratégies habiles : en préparation de l'assurance-maladie déjà prévisible en 1964, les omnipraticiens ont décidé à l'unanimité (moins ma voix) d'uniformiser les tarifs, ce qui signifiait dans la majorité des cas de les augmenter, « pour être en meilleure position vis-à-vis du gouvernement quand arriveront les négociations » ; la population de la Rive-sud a donc payé plus cher pendant six ans, en vue de permettre aux médecins de réclamer davantage ; si j'avais accepté ce tarif, j'ai calculé que j'aurais empoché plus de 35 000 $ l'année suivante au lieu du 11 000 $ qui fut mien. Déjà les médecins s'objectaient farouchement à toute socialisation de leur profession, alors qu'il est assez évident qu'ils sont les premiers à bénéficier d'une telle mesure, sinon dans leurs revenus, du moins dans le type de pratique et dans leur vie privée qui ne peut que devenir plus humaine.

De l'expérience des *Chantiers*, j'ai gardé une grande préoccupation pour la pauvreté et surtout ses causes. Établi dans un milieu populaire où presque tout le monde éprouvait de sérieuses difficultés à « rejoindre les deux bouts », le problème de la contraception devait m'être rapidement soumis. Au cours de théologie professionnelle (en 2e année de médecine) le Père Marcel Marcotte nous avait bien appris que le médecin n'avait jamais le droit d'offrir ou de suggérer quelque moyen de contraception que ce soit ; mais à un moment donné j'ai décidé de faire le bond et d'appliquer une morale humaine et non une morale légaliste. Dans ce domaine, ma réputation devait bientôt dépasser le territoire géographique habituel, car rares étaient à cette époque les audacieux... J'ai dû aussi rencontrer des femmes qui venaient me voir « après », me demandant un avortement ; j'ai alors appris que rien ne pouvait dissuader une femme décidée à avoir un avortement ; après le non que j'opposais à sa demande, je la voyais partir aussi déterminée qu'avant et la plupart du temps, je recevais quelques jours plus tard un appel pour « fausse-couche » avec fièvre à 103° ou 104° ; la femme s'était avortée elle-même avec des broches à tricoter ou elle était allée voir un de ces « faiseux d'anges ». Comment blâmer celles qui recouraient à cette solution, quand la presque totalité des médecins québécois refusaient catégoriquement d'aborder la question de la contraception avec quelque femme que ce soit, eût-elle dix ou vingt enfants ? Pourtant, des moyens contraceptifs existaient, surtout qu'on venait de mettre sur le marché les premières pilules anticonceptionnelles. Mais les médecins s'entêtaient à jouer aux curés.

C'est à ce moment que ma femme et moi, nous avons découvert l'*Association pour la planification familiale de Montréal — The Family Planning Association of Montreal.* Cette association avait été lancée depuis peu par des anglophones protestants, qui avaient compris que rien ne bougerait au Québec tant que des « natives », des francophones, ne s'impliqueraient pas. Pour ma part, j'étais intéressé à en apprendre le plus possible sur un sujet pour lequel j'étais de plus en plus souvent consulté, mais sur lequel je n'avais reçu aucun enseignement ; de plus, il était clair que sans un mouvement de pression puissant, les médecins ne changeraient pas leur attitude hostile vis-à-vis de la question. Nous avons donc adhéré à l'Association, en même temps d'ailleurs que Maurice Jobin, un autre médecin qui était à l'écoute de ses patientes.

Un jour, pendant cette période où mon temps se partageait entre les malades, les revues médicales à lire et la récupération de forces physiques épuisées, j'ai réfléchi, ce qui était un événement rare ; je me suis rendu compte que ces malades que je voyais et que j'aidais à survivre me revenaient immanquablement avec les mêmes maux. Je guérissais des symptômes — leur maladie — d'une situation sociale ou familiale pathologique : cette maison à deux pièces où s'entassaient onze personnes, cette autre dont les murs laissaient passer le vent, ces enfants qui ne mangeaient jamais à leur faim et qui sortaient dans la neige sans bottes, toutes des situations et combien d'autres encore que mes comprimés permettaient d'endurer, mais qui ne s'en trouvaient pas changées. En aidant ces gens à survivre, en leur rendant moins difficile leur misère, je les faisais se taire ; l'exploitation et l'injustice pouvaient continuer sans que personne n'en soit trop dérangé. De plus, j'étais en train de me tuer et de détruire ma famille : j'étais le seul médecin à Saint-Hubert et il m'était de plus en plus difficile de prendre des congés ou des vacances, car ceux qui me remplaçaient pendant mes absences (des médecins des villes voisines) n'avaient pas les mêmes exigences financières que moi ni le même contact avec les gens. Les problèmes de mes patients me suivaient donc partout, ce qui fait que j'étais de moins en moins disponible pour ma femme et nos deux enfants. Tout cela pour arriver à quoi ? Les gens du coin avaient trouvé un ami qui pouvait les soulager, mais au fond rien n'était changé à leur situation. C'est alors que j'ai décidé de me réorienter.

Quand j'ai fermé mon bureau pour retourner aux études dans un domaine différent de la médecine, bien des gens n'ont pas compris. Comment peut-on abandonner volontairement une profession si prestigieuse et si lucrative ? Du côté des médecins, j'ai eu peu d'échos ; j'étais tellement marginal que ma décision devait en soulager plusieurs. Quelques-uns m'ont cependant avoué, presque en secret, qu'ils m'enviaient : ils se rendaient compte qu'ils menaient finalement une vie insensée à travailler énormément pour gagner beaucoup et dépenser plus et devoir encore travailler davantage ; mais en même temps qu'ils m'approuvaient, ils se disaient incapables de faire le pas et de sortir du cercle vicieux dont ils étaient maintenant prisonniers. Quant à ceux et celles qui fréquentaient mon bureau en tant que patients, c'était la consternation : « Pour une fois que nous avions un médecin qui s'occupait vraiment de nous ». J'expliquais, et ils comprenaient ; plusieurs m'ont demandé de continuer à les voir à temps partiel ; j'ai résisté. Finalement, pour les gens de l'extérieur qui me connaissaient moins bien, c'était l'incrédulité : j'avais probablement commis une faute quelconque qui m'interdisait la pratique médicale, ou bien je n'étais pas capable de faire ce travail, ou je ne sais quoi d'autre. Même mes parents n'ont jamais accepté que je tourne le dos à la médecine.

Lorsque je pense aujourd'hui à ces deux années de médecine générale, plusieurs sentiments contradictoires m'envahissent : une grande fierté d'avoir pratiqué une bonne médecine du genre de celle que pouvaient faire les vieux médecins de campagne — ce dont la population m'était d'ailleurs reconnaissante —, mais en même temps un sentiment d'impuissance à changer quoi que ce soit; la constatation d'un pouvoir immense dont j'avais été investi sans trop m'en rendre compte, en même temps que l'effroi des conséquences qui auraient fort bien pu résulter de l'utilisation de ce pouvoir.

J'ai fait de la «bonne médecine», en ce sens que j'ai été humain, disponible, désintéressé et qu'au plan technique, j'ai fait de bons diagnostics et appliqué les traitements qu'on m'avait enseignés; dans le milieu matérialiste des médecins d'abord préoccupés de leurs intérêts financiers, je faisais figure d'anachronisme. Mais ce faisant, je nuisais finalement aux gens que je voulais aider: je contribuais en effet à panser des plaies causées par un système fondé sur une compétition sans merci où les faibles sont impitoyablement écrasés; j'aidais cette situation à perdurer. C'est là la tâche des médecins en système capitaliste; la plupart des médecins le font sans trop de zèle et en en profitant largement, je le faisais avec abnégation et sérieux, contribuant ainsi à redorer le blason d'une profession non sans reproches. À preuve, cette lettre reçue le 28 décembre 1964 du président du Collège des médecins et chirurgiens de la province de Québec:

Cher docteur,

Très fortement impressionné au moment de votre parution récente à la télévision par le témoignage que vous avez fait des conditions de logement dans lesquelles vous avez délibérément accepté de vivre et qui vous permettent d'avoir sur la misère humaine une vue qui serait impossible sans votre séjour parmi cette population déshéritée de Montréal, je tiens à vous dire que j'admire votre courage d'avoir accepté délibérément de vivre dans ces conditions pour votre propre éducation.

En témoignant de la sorte publiquement, vous avez rendu un service dont vous n'imaginez pas la portée aux médecins et à la médecine et de cela, à titre de Président du Collège des médecins et chirurgiens de la province de Québec, je dois vous en remercier et vous en féliciter.

(...)

Jean-Baptiste JOBIN, M.D.

En fait, j'aurais pu être beaucoup plus utile en transgressant les lois qui régissaient la pratique médicale d'alors : en fournissant aux femmes des moyens contraceptifs efficaces et en leur procurant des avortements sécuritaires quand elles en avaient besoin ; même si je comprenais la situation des femmes aux prises avec une grossesse non souhaitée, je leur ai quand même imposé mes principes rigides ; et en cela, je me conformais au modèle qu'on m'avait enseigné et qui caractérise toute la pratique médicale.

On dit souvent que les médecins ont une grande importance sociale car des vies humaines reposent entre leurs mains. En fait, les circonstances où un médecin sauve la vie d'un patient sont rares ; à part les médecins travaillant en traumatologie à traiter les victimes des grands accidents, cela arrive assez peu souvent. Par contre, les armes dont disposent les médecins pour faire leur travail sont tellement puissantes que leur emploi présente de grands dangers pour la vie. Les accidents iatrogéniques, c'est-à-dire causés par des médecins, sont fréquents et provoquent chaque année des milliers de décès dans le monde. En tant que médecin, j'étais habilité à prescrire des médicaments qui sont d'autant plus efficaces qu'ils sont toxiques ; je n'avais pourtant que de bien piètres notions de pharmacologie. En tant que médecin, je pouvais pratiquer des interventions chirurgicales mineures ; je pouvais introduire dans l'organisme des substances étrangères et pathogènes. Je pouvais faire des accouchements, endormir les patients du dentiste. J'ai effectivement fait tout cela, et je frissonne aujourd'hui de mon audace. Mon patient endormi sur la chaise du dentiste aurait bien pu ne jamais s'éveiller — c'est arrivé à d'autres ; cet enfant à qui j'ai injecté une dose massive de pénicilline aurait pu faire une réaction allergique fulgurante ; et combien d'autres cas pour lesquels j'ai osé essayer tel médicament ou telle procédure comme on me l'avait appris, mais sans me parler, la plupart du temps, des effets secondaires ou des dangers possibles. Sans trop réfléchir, je jouais avec la vie des gens. Comme tous les médecins, je puisais mes connaissances sur les médicaments dans les annonces des compagnies pharmaceutiques, dans les contacts avec leurs représentants et dans les articles publiés dans les revues médicales trop souvent le fruit de recherches financées par les laboratoires pharmaceutiques. Je détenais entre mes mains la vie des gens qui venaient me voir dans leur désarroi. J'acceptais cette responsabilité sans trop m'en rendre compte. Par contre, je n'étais pas insensible au pouvoir que me conférait ma profession. Avant mon nom, il y avait maintenant mon titre de « docteur », qui me conférait un statut spécial dans notre société ; j'étais un professionnel-sorcier avant d'être un homme. Cela m'agaçait parfois, mais la plupart du temps je m'accommodais fort bien du respect et de l'autorité qui en résultaient.

CHAPITRE 3

LA PLANIFICATION FAMILIALE

Ma décision d'abandonner la pratique de la médecine fut définitivement prise quand je découvris que l'Université de Montréal offrait depuis un an un nouveau cours en organisation communautaire, à l'École de service social ; renseignements pris, cela semblait convenir au genre de travail que je croyais nécessaire et que je voulais faire ; on y apprenait à travailler avec des communautés pour les aider à prendre en charge elles-mêmes leurs destinées.

N'ayant pas eu l'occasion de mettre d'argent de côté, il fallait tout de même que je m'assure de certains revenus pour les deux années que durerait mon cours ; une amie journaliste au *Photo-Journal* me suggéra d'écrire des articles sur les différentes maladies ; justement, son journal éprouvait des difficultés à obtenir à temps les articles de son chroniqueur scientifique. Le directeur du journal accepta de m'engager à la pige. Après deux ou trois semaines, il me demanda d'assurer une chronique régulière où, en plus de traiter un sujet médical de mon choix, je répondrais aux questions des lecteurs ; je devais faire ce travail pendant quatre ans ! Pour compléter mon revenu, je me cherchais un travail à temps partiel dans l'enseignement ou en médecine préventive ; mais je ne voulais ni continuer à maintenir une pratique quelconque, ni faire de remplacement. J'ai finalement trouvé un travail à temps partiel comme animateur social dans le quartier Saint-Henri ; mon expérience pratique aux Chantiers et ma connaissance du milieu m'avaient été reconnues par le Conseil des Œuvres (qui se transformera quelques années plus tard en Conseil de développement social).

Le retour à l'université fut une révélation ; arrivant avec déjà une petite expérience de la vie, ma motivation était très grande et les livres ou revues que j'avais à parcourir me permettaient enfin de comprendre une foule de phénomènes que j'avais vaguement perçus.

Même si je n'avais plus à répondre à des demandes directes de mes patients, je continuais à m'occuper de planification des naissances ; j'étais très actif au sein de l'Association pour la planification familiale de Montréal, dont j'allais devenir président. À ce titre, j'ai réclamé, d'abord timidement puis avec de plus en plus de vigueur, que l'Église catholique change son attitude d'intransigeance, laquelle n'empêchait finalement que les familles défavorisées d'avoir accès à une contraception efficace. En décembre 1965, j'écrivais dans le *Magazine Maclean* :

> *De tous côtés on se relance la balle au sujet de la limitation des naissances. Certains prêtres avouent tout simplement qu'ils ne savent quoi dire sur la question, d'autres rejettent toute la responsabilité sur le dos des médecins. Et pourtant, les pauvres médecins catholiques, ils vont à la même messe que les autres et sont contraints de suivre la même morale.*
>
> *Ils sont donc acculés à ce dilemme : relancer la balle à d'autres ou prendre leurs responsabilités et d'emblée, lorsque cela est indiqué, fournir aux époux les moyens de limiter efficacement les naissances.*
>
> *Ils sont alors montrés du doigt. Ils ne sont pas « comme les autres », « ils ont des principes larges ».*

Je n'exagère pas. Je suis moi-même praticien général. Des gens des villes environnantes viennent me demander des «pilules» parce qu'ils ont essuyé des refus à quatre ou cinq endroits différents, et que finalement on leur a dit de venir me voir...

En pratique générale, nous médecins, voyons beaucoup de femmes enceintes. À leur première visite je pose toujours la même question à mes patientes: «Êtes-vous contente d'être enceinte?» J'obtiens généralement quatre sortes de réponses. Au premier bébé, la joie est toujours très grande. Au deuxième, comme, presque invariablement, il s'agit d'un petit «Ogino», elles ne sont pas trop déçues mais elles auraient préféré se relever un peu plus du premier accouchement. Entre le troisième et le huitième, la déception est très grande. Beaucoup avant de venir me voir ont essayé mille et un moyens «populaires» de s'avorter. Et certaines demandent franchement de se faire avorter. Enfin, dernière catégorie, après le huitième, la femme ne dit plus rien. Elle s'est résignée à n'être qu'une «machine à faire des enfants», et elle attend, patiemment, sa ménopause ou la maladie grave qui nécessitera «la grande opération».

Il s'agit évidemment ici d'une description qui vaut pour un milieu populaire. Dans les autres milieux, on arrive aux fins voulues sans trop se préoccuper de la moralité des moyens employés.

Les méthodes permises présentement par l'Église sont toutes fondées sur une entente conjugale peu commune et constituent, même pour les couples qui s'entendent bien, un frein important à l'amour.

(...)

Actuellement, les seules méthodes permises ouvertement par l'Église ne sont accessibles qu'à une certaine catégorie de personnes bien préparées. Espérons que les théologiens trouveront bientôt quelques subtilités permettant d'autres méthodes plus praticables pour la population moyenne.

Entre la première et la deuxième année du cours en organisation communautaire, nous devions faire un stage pratique «sur le terrain»; je choisis un travail au ministère de la Santé nationale et du Bien-être social, à Ottawa. J'y appris beaucoup, mais probablement pas ce qu'on aurait voulu m'y montrer:

1) *Le francophone est un vassal du Canadian:* parmi les fonctionnaires, à mesure qu'on s'élevait dans l'échelle, on trouvait de moins en moins de francophones. Par contre toutes les tâches de service — nettoyage des planchers, cafétéria, etc., étaient remplies par des francophones. Pis encore, *on pense en anglais* à Ottawa ; même les francophones qui y travaillaient écrivaient en anglais. Mon travail consistait à préparer une étude historique sur l'évolution de l'assistance sociale au Québec ; écrite en français, elle fut jugée valable et l'on décida de la traduire, mais au Service de traduction, on me dit qu'on n'était pas équipé pour faire un tel travail : on avait des experts pour traduire de l'anglais au français, mais pas pour l'inverse !
2) *La capitale d'un pays bilingue est unilingue:* Ottawa était, elle l'est demeurée d'ailleurs, une ville anglophone : affichage public, services publics, etc., tout est en anglais. Ceux qui vivent dans ce milieu, s'ils ne sont pas anglophones, le deviennent vite. Je me souviens de ce M. Duval qui ne parlait qu'en anglais, qui songeait presque à changer son nom car ses enfants en avaient honte, à l'école anglaise. Et M. Cloutier qui s'évertua à nous prouver, nous les stagiaires, que le gouvernement faisait de gros efforts pour aider les francophones et que lui-même en était une preuve vivante, puisqu'il avait atteint une haute fonction ; son discours était farci d'anglicismes grossiers, mais il ne s'en rendait même pas compte. D'ailleurs au ministère j'eus toutes les difficultés du monde à trouver une secrétaire qui pouvait convenablement dactylographier en français ; pourtant, bon nombre de secrétaires étaient francophones.
3) *Le gouvernement fédéral est un rouleau compresseur:* mon étude sur les différents modes d'assistance sociale me permit de pénétrer de plain-pied dans toute la question des relations fédérales-provinciales. La question de l'indépendance du Québec m'avait jusqu'alors laissé totalement indifférent, mais l'examen attentif des échanges entre

les deux niveaux du gouvernement dans tout le secteur important de l'assistance sociale me fit toucher du doigt les empiètements successifs du fédéral, l'uniformisation provoquée par son intervention au détriment des différences régionales — certainement fort importantes pour le Québec du fait d'une culture autonome — et les gaspillages énormes d'énergie et d'argent causés par les chevauchements de juridiction. Quand j'eus terminé mon étude, mes supérieurs la trouvèrent fort intéressante et incontestable quant aux faits, mais ils la qualifièrent de «politically explosive» et m'en demandèrent une nouvelle version aseptisée de son contenu politique.

Ces quelques constatations furent l'objet de longues discussions tant avec les autres stagiaires québécois qu'avec des fonctionnaires francophones. Nombre d'entre eux étaient en poste à Ottawa depuis longtemps; ils avaient tout essayé pour donner au français un statut égal à l'anglais, donc aux francophones des chances égales aux anglophones; mais toujours ils s'étaient butés à un mur inébranlable; ils me répétaient à voix basse que les bombes du F.L.Q. avaient déjà fait beaucoup plus pour la cause du français que tous les discours des politiciens. C'était le début d'un cheminement qui me mènerait à souhaiter l'autonomie du Québec.

En septembre 1966, j'entrepris ma deuxième année en organisation communautaire. Mon temps s'y partagea entre l'université et l'Association pour la planification familiale de Montréal, où déjà j'étais en mesure d'appliquer les connaissances que j'acquérais dans le domaine de l'action sociale. En effet, devant l'ampleur des besoins que nous constations à la grandeur du Québec, nous nous étions donné comme objectif de rendre accessible au plus grand nombre possible de couples dans tout le Québec, et en particulier aux couples financièrement dépourvus, la possibilité d'avoir recours aux techniques contraceptives les plus efficaces. C'était un objectif audacieux qui requerrait une stratégie particulièrement efficace; nous élaborâmes cette stratégie et j'allais passer les cinq années suivantes à en réaliser les différents éléments. Un de ces éléments consistait à faire s'engager dans le domaine les services publics. Ce furent finalement les agences de service social de Montréal qui décidèrent de répondre à l'appel de l'*Association pour la planification familiale de Montréal* et de prendre les moyens pour aider leurs clients et clientes à accéder à une contraception efficace. Suite aux recommandations de l'Association, les agences décidèrent de mettre sur pied un centre de recherche et de formation en planification familiale. Quelques jours à peine après avoir terminé mon cours en organisation communautaire, j'étais engagé pour aider à la création de ce centre.

Le Centre de planning familial du Québec s'est rapidement développé. Une des premières actions entreprises fut l'organisation de plusieurs séries de cours à travers le Québec, de Sherbrooke à St-Jérôme et de Gaspé à Amos ; ces cours sur la sexologie et la contraception couvraient tous les aspects du problème : démographique, sociologique, psychologique, médical et même théologique. Ils permirent d'une part de renforcer et d'unir les différentes personnes qui dans chaque région étaient prêtes à se mouiller (quelques professionnels, quelques prêtres et surtout plusieurs couples) ; d'autre part, ils furent l'occasion pour la jeune équipe du Centre d'affermir sa conviction de la nécessité d'agir au plus tôt.

La question de la contraception ne pouvait être abordée sans que très rapidement nous soyons confrontés au problème de l'avortement ; et il ne s'agissait pas d'une question théorique, mais bien de demandes directes qui nous arrivaient des quatre coins du Québec pour des situations concrètes plus tragiques les unes que les autres. Face à ce problème, j'avais adopté une attitude résolument pragmatique, que j'exposais lors d'un colloque organisé en mars 1968 par la revue *Maintenant* :

> *J'aimerais ce soir que nous fassions table rase : écartons-nous de nos préjugés habituels, qu'ils soient personnels, religieux ou sociaux, et disséquons brièvement le problème que présente à notre société l'avortement.*

Une constatation d'abord: il se fait des avortements clandestins dans notre société. Nous en ignorons le nombre exact, mais tout en sachant que proportionnellement peu d'avortements amènent des complications telles qu'un séjour à l'hôpital soit nécessaire, nous savons aussi qu'il s'écoule rarement un jour sans que l'une des salles d'urgence de nos hôpitaux n'accueille une femme en fort mauvais état des suites d'une telle intervention.

Deuxième constatation: le fait qu'il soit illégal de s'avorter n'empêche pas la femme de recourir à cette façon de disposer de sa grossesse. Même si elle sait qu'elle risque d'y laisser sa peau, celle qui ne désire pas son enfant ne recule devant rien. Par ailleurs, l'illégalité a comme corollaires:

1) un coût très élevé, croissant avec la compétence de celui ou celle qui pratique l'intervention;
2) une grande difficulté à trouver de l'aide compétente;
3) un danger pour la santé: du fait que la plupart des médecins refusent de risquer leur carrière dans ces opérations, ou, s'ils s'y risquent, doivent procéder hors de l'hôpital, donc privés de ressources adéquates.

Troisième constatation: la société est responsable de la grande majorité des avortements. D'une part elle a toujours permis que l'accès à la contraception ne soit possible qu'à certaines catégories de la population et d'autre part le sort qu'elle réserve tant aux célibataires qui donnent naissance à un enfant qu'aux gens mariés qui dépassent un certain nombre d'enfants est loin d'être resplendissant.

Ces trois constatations devraient être suffisantes pour amener la société à affronter la réalité du problème de l'avortement...

Pendant des années, nous avons dû combattre, aux côtés des femmes, pour faire reculer l'emprise qu'exerçait sur notre système de soins l'Église catholique. Ses prescriptions morales empêchaient en effet de répondre aux besoins des femmes dépourvues de moyens financiers; car les autres trouvaient toujours un médecin complaisant ou une clinique à l'étranger pour se faire avorter.

Parallèlement à mon travail en planification familiale se faisait mon évolution politique; après avoir découvert que nous (les Québécois) étions des colonisés maintenus dans une habile sujétion et qu'en tant qu'entité ethnique, nous étions menacés de disparition, j'ai décidé de mettre moi aussi mon épaule à la roue ; les élections de 1970 me sont apparues comme une des dernières chances du Québec de s'en sortir (le Parti Québécois s'y présentait pour la première fois), et je m'y suis engagé à fond. Mais déjà commençait à se poser la question importante de l'après-indépendance, car il ne suffisait pas de rapatrier tout le pouvoir au Québec et d'y constituer une copie servile du modèle canadien ; nous aurons l'occasion unique pour un peuple de fonder un pays et il faudrait en profiter pour construire une meilleure société que celle où nous vivons ; si nous ne faisons que traduire les lois et franciser les structures, nous n'aurons rien gagné et la pauvreté demeurera.

Au fait, pourquoi y a-t-il des pauvres ? Toutes mes analyses antérieures m'avaient fait comprendre les mécanismes de perpétuation de la pauvreté : système scolaire inaccessible et inadapté, santé défaillante par manque de moyens, endettement constant, etc., mais en fin de compte, le phénomène de l'origine de la pauvreté n'était pas clair. Dans ma quête d'idées pour une société meilleure, j'ai enfin découvert le socialisme et l'analyse marxiste. Et j'ai compris — il était temps ! — les mécanismes à la base de la société capitaliste. Les pauvres sont devenus, pour moi, des victimes de l'exploitation éhontée d'une classe par une autre. Et dans toutes mes actions, j'ai attentivement veillé à ne jamais participer à cette exploitation des uns par les autres. C'est d'ailleurs ce qui m'a amené, à l'automne 1969, à cesser ma collaboration avec le *Photo-Journal* pour m'intégrer à l'équipe qui lançait *Québec Presse* ; j'expliquais ainsi mon geste à mes nouveaux lecteurs :

Pendant presque cinq ans, j'ai régulièrement écrit dans le Photo-Journal, *y étant responsable tout ce temps de la chronique « Médecine d'aujourd'hui ».*

Le Photo-Journal *était un hebdomadaire populaire. Durant les premières années de ma collaboration, on s'efforçait de distraire honnêtement les lecteurs, et assez souvent de les aider à mieux vivre, avec un souci constant de véhiculer une langue bien construite. Il y a quelques mois, le journal a été acquis au prix fort par le groupe Powers, qui contrôle déjà* La Presse, La Patrie, le Petit Journal, *etc. Sans doute pour récupérer rapidement le capital investi, la direction a décidé de procéder à des économies en licenciant les journalistes un à un pour utiliser de plus en plus de traductions d'articles américains. Mais les gens ne sont pas fous et les ventes descendaient constamment.*

Voici quelques semaines, la direction a décidé de tout mettre en œuvre pour hausser sa cote de popularité : on a procédé à des changements radicaux pour trouver une formule qui saurait flatter les goûts d'un certain public, aussi bas que ces goûts se situent. J'ai décidé de partir...

Le Parti Libéral de M. Bourassa remporta les élections de 1970. Une des premières mesures qu'il prit fut d'instaurer l'assurance-maladie. Il me semblait qu'il fallait accueillir cette mesure avec réserve, comme je l'écrivais dans *Québec-Presse* :

À peine élu, M. Bourassa a promis qu'il mettrait tout en œuvre pour que se réalise très tôt l'assurance-maladie. Son souci d'efficacité devrait le porter à réfléchir un peu avant de lancer le Québec dans une telle mesure, car dans sa forme actuelle, l'assurance-maladie risque d'être une excellente affaire pour les médecins, mais non pour les Québécois.

En principe, l'idée de l'assurance-maladie est excellente ; il s'agit d'assurer à chaque citoyen les soins médicaux gratuits. La santé est un droit et chacun devrait pouvoir en jouir ou se la faire restaurer dès qu'elle est atteinte. Mais du principe à la pratique, il y a loin ; quand les médecins ne fournissent pas de bons soins, quand les malades ne peuvent faire remplir les prescriptions qu'on leur a données, quand il faut consulter d'autres spécialistes qui ne sont pas couverts par le type d'assurance qu'on veut nous donner, à quoi servent les soins médicaux gratuits ? La réponse est simple : à éviter des frais de « collection » aux médecins et à augmenter leurs revenus — déjà en moyenne à 34 000 $ par an.

Le rôle croissant de l'État dans la santé est un fait accepté de tous. Mais la perception de ce rôle est bien différente, selon qu'on se situe du côté des malades ou de celui des dispensateurs de soins. Dans le premier cas, on se dit que l'État doit s'organiser pour permettre à chacun de jouir de ses droits et que la santé est certainement le plus important de ceux-ci. Avec les moyens dont dispose la société actuellement, il n'y a plus de raisons pour que la santé soit un privilège. Quant aux médecins, ils acceptent que l'État intervienne de plus en plus, mais en même temps ils ne veulent à aucun prix perdre leurs privilèges, c'est-à-dire cette situation monopolistique qui leur permet d'exiger les honoraires qu'ils veulent pour des services dont la valeur échappe à tout contrôle. L'État peut donc agir, mais en autant qu'il ne touche pas aux privilèges acquis ; qu'il fournisse des lits d'hôpitaux, qu'il paie pour ceux qui n'ont pas d'argent, qu'il empêche les « charlatans » de remplacer les médecins, mais qu'en aucun temps il ne s'avise d'exiger quoi que ce soit de plus des médecins.

Déjà, les médecins ont réussi à faire comprendre à l'État que le salariat est la pire forme de rémunération, car dès qu'on est à honoraires fixes, on devient des fonctionnaires sans aucun intérêt pour le travail ; ils ont montré que le médecin fournit exactement la même qualité de travail après dix-huit ou vingt heures de bureau la même journée ; ils ont prouvé qu'un médecin qui a terminé ses études en 1938 et qui n'a pas ouvert un livre depuis demeure parfaitement à date ; ils ont établi clairement que les consommateurs ne connaissent rien à la santé et qu'ils n'ont rien à dire sur le coût et la qualité des soins.

Le nouveau régime, quand il sera mis en vigueur, assurera une certaine redistribution des frais médicaux ; à la façon de l'assurance privée, il permettra à chacun de profiter des services à un coût plus ou moins élevé, mais constant, quel que soit l'usage annuel des services. Une fois malade, il en coûtera moins cher pour se faire soigner ; pour un individu donné du moins, car pour l'ensemble de la collectivité québécoise il faudra maintenant payer le coût de la Régie de l'assurance-maladie, en plus du coût des médecins. Est-ce que de cette façon nous pourrons jouir d'une meilleure santé ? Car c'est tout de même là la question fondamentale... Pour quelques-uns qui consultaient trop tard le médecin, par mesure d'économie ou tout simplement par manque de ressources, certainement qu'un tel régime permettra une amélioration ; une maladie soignée à temps peut souvent être guérie, tandis que si l'on tarde trop, la maladie peut voir son état traverser la phase critique et devenir chronique. Mais pour l'ensemble de la population, le régime n'apporte rien de plus. Pour améliorer la santé des Québécois, il ne suffit pas de les soigner quand ils sont malades, il faut une approche positive qui permette de conserver ou mieux d'édifier ce capital qui devrait être l'apanage de chacun. Mais là le gouvernement ne marche plus ; il juge que cela coûterait trop cher ou entraînerait trop de changements. Pourtant, il serait possible de faire beaucoup avec fort peu, comme vient de le montrer une recherche menée par un organisme montréalais.

La Clinique de diète de Montréal s'occupe depuis nombre d'années d'alimentation. Elle vient, dans un rapport préliminaire, de rendre publics les résultats d'une recherche faite dans des quartiers défavorisés de Montréal. La Clinique a suivi de près 1 220 femmes enceintes indigentes pendant leur grossesse et a montré qu'en moyenne ces femmes avaient un déficit calorique quotidien de 778 calories, et, plus grave encore, un déficit en consommation de protéines de 39 grammes. On sait que les protéines sont particulièrement importantes pendant la grossesse alors que s'édifie le fœtus. Dans les milieux défavorisés, non pas ceux de ces pays qu'on dit sous-développés mais chez nous, au Québec nord-américain, les enfants ont donc à souffrir de privations dès avant leur naissance. Conséquences ? Le bébé sera moins pesant à la naissance, ce qui signifiera pour lui un plus grand risque de mortalité ou encore, s'il survit, un plus grand nombre d'anomalies physiques et un rendement intellectuel inférieur par la suite. Voilà certainement un des éléments du cercle vicieux de la pauvreté.

La Clinique de diète de Montréal ne s'est pas contentée de calculer les déficits alimentaires des femmes étudiées ; elle a continué à les suivre, mais en corrigeant la situation ; soit en les conseillant sur leur alimentation, soit en leur fournissant les denrées dont elles avaient besoin pour atteindre un régime équilibré : des œufs, des oranges et du lait. Par la suite, ces femmes ont donné naissance à des enfants normaux et le taux de mortalité infantile a été réduit à 13.2 pour 1 000, soit moins de 50% du taux québécois.

Je réalisais de plus en plus clairement à quel point la santé est tributaire des conditions sociales dans lesquelles nous vivons. Un événement brutal allait encore me le rappeler : l'arrestation du Dr Henry Morgentaler, accusé d'avoir pratiqué des avortements illégaux. Je connaissais le Dr Morgentaler depuis longtemps ; au Centre de planning familial, nous avions appris à apprécier sa collaboration. À maintes reprises, nous lui avions référé des femmes ou des jeunes filles qui ne pouvaient payer le coût de l'avortement et il l'avait fait gratuitement. Contrairement à d'autres, le Dr Morgentaler n'était ni un boucher, ni un exploiteur ; son engagement était idéologique et en tant que président de l'Association humaniste du Canada, il réclamait depuis longtemps la légalisation de l'avortement. Suite à son arrestation, les quelques autres médecins qui pratiquaient aussi des avortements dans de bonnes conditions avaient cessé, par crainte d'être aussi incarcérés. Quelques hôpitaux montréalais notaient une augmentation alarmante des cas d'avortements incomplets et infectés qui se présentaient à leurs salles d'urgence. Il fallait agir ; pour les femmes aux prises avec ce problème, pour Morgentaler qui payait pour ses convictions. Dans *Québec Presse*, j'ai avoué publiquement ma complicité avec Morgentaler et j'ai invité les lecteurs à signer une pétition qui disait « qu'avant de condamner un médecin pour avortement illégal, il serait plus urgent que le gouvernement révise sa loi sur l'avortement ». Je suis revenu à la charge dans le *McGill Medical Journal* d'octobre 1970 :

> *Certains médecins montréalais, devant les demandes éplorées des femmes aux prises avec le problème d'une grossesse absolument non désirée, ont résolu de braver une loi qu'ils jugent inhumaine pour leur venir en aide. S'ils demeurent seuls à agir ainsi, ils seront vite mis derrière les verrous. Il s'avère donc nécessaire de leur manifester notre solidarité. Pour ma part, j'ai écrit publiquement — dans* Québec Presse *du 21 juin dernier, que j'avais référé des femmes à ces médecins. Aux termes de la loi, je suis donc complice d'actes criminels et on devrait émettre un mandat d'arrestation contre moi ; j'ai attendu, mais rien n'est venu. Faudra-t-il que je m'installe dans une vitrine de la rue Ste-Catherine pour pratiquer un avortement pour qu'on procède contre moi ? Le gouvernement sait fort bien que sa position est intenable. Mais il attend qu'on lui force la main. Devrons-nous le faire en lui apportant les cadavres de dizaines de femmes mortes des suites d'avortement mal fait ? J'espère que non.*

Les autorités ne répondirent pas... et ce n'est que par la porte des visiteurs que je pus pénétrer dans le lieu de réclusion de Morgentaler pour lui manifester ma solidarité.

À l'époque, ma principale préoccupation demeurait la planification familiale. Ma grande implication dans le domaine m'avait rapidement propulsé sur la scène internationale. Ma qualité de jeune médecin bien implanté dans les luttes populaires devait me rendre particulièrement intéressant pour les organismes internationaux qui cherchent toujours des cautions à la base; aussi étais-je bientôt nommé représentant du Québec à la Fédération canadienne de planning familial puis délégué du Canada au Comité médical international; dans l'espace de quelques années, j'ai participé à des conférences ou séminaires à Bogota, à Cuernavaca, en Tunisie, à Haïti, en Guadeloupe, à Hawaï, au Chili et maintes fois aux États-Unis. Cela a duré jusqu'au jour où j'ai refusé que la Fédération canadienne utilise pour sa propre organisation les argents recueillis dans le public pour le Tiers monde lors d'une campagne de la série *March of Dimes*; évidemment, les grands patrons de la Fédération (des hommes d'affaires de Toronto) ont trouvé le moyen de contourner la résolution adoptée par l'exécutif de la Fédération qui refusait un tel détournement de fonds et ils ont gardé pour la Fédération les 60 000 $ en question. J'ai démissionné de la Fédération tout en continuant à travailler dans le domaine. Mais dans les mois qui ont suivi, j'ai vu l'effet de mon entêtement: les organismes internationaux qui m'avaient demandé de faire partie de leur comité consultatif ou qui faisaient appel à mes services à divers titres ont commencé à m'ignorer ou à me boycotter. Je cessais de leur être utile puisque je posais des questions; donc on me liquidait. Il faut dire que ces organismes n'ont pas tellement l'habitude de se faire contester par les divers spécialistes qu'ils engagent à gros salaire et qu'ils font voyager à volonté. Je voudrais être bien clair: ce n'est pas par dépit que j'écris ces lignes; en effet, d'autres organismes qui n'étaient pas liés par la consigne m'ont offert des postes et je les ai refusés. Je me suis finalement retiré de la planification familiale internationale parce ce que j'ai compris qu'il s'agissait d'un type d'action qui en était rendu à favoriser la survie d'un système essentiellement fondé sur l'exploitation. La question n'est pas simple; d'une part, il est vrai que par l'éducation sexuelle et par la possibilité d'avoir le nombre d'enfants désirés, on fournit la chance à un grand nombre d'individus de se libérer en partie de la fatalité, mais en même temps ne leur permet-on pas de s'intégrer à leur situation et de la trouver finalement acceptable au point de n'être plus motivés pour tenter d'y apporter des modifications importantes? D'autre part, pour libérer la collectivité, il faut un certain nombre d'individus libérés. Mes contacts de plus en plus nombreux avec des militants du Tiers monde me démontraient que nous partagions la même dialectique; mais malgré toute ma bonne volonté, je demeurais un Québécois-Canadien-Nord-Américain et à ce titre, je représentais l'exploiteur.

Comme de toute façon la planification familiale au Québec était assez avancée pour qu'une majorité d'individus puissent y avoir accès, je décidais en septembre 1971 de quitter entièrement le domaine. Des difficultés internes au Centre de planning m'empêchèrent de mettre mon projet à exécution tout de suite; je tenais en effet à laisser derrière moi un organisme solide qui puisse continuer un travail qui avait certainement d'excellents mérites, même si à mes yeux il ne revêtait plus le même caractère de priorité. Les événements se sont déroulés différemment de la façon prévue et après plusieurs mois de tentatives infructueuses pour trouver une solution aux conflits que nous vivions au Centre, avec les trois autres membres de la direction du Centre, nous avons démissionné, imités dans notre geste par le Conseil d'administration qui a alors demandé au gouvernement de prendre le Centre en tutelle; ce dernier a finalement décidé de le fermer tout en répartissant dans d'autres organismes le personnel et les diverses fonctions remplies par le Centre.

Après mon départ du Centre, je sentais le besoin de faire le point et d'approfondir les intuitions qui m'avaient amené à me retirer de l'intervention en planification familiale dans le Tiers monde. J'eus la chance d'obtenir une bourse du Centre de recherches en développement international sur la base d'un projet de recherche sur les politiques de population dans le Tiers monde; cette bourse me permettait d'aller au Chili pour un an; elle était renouvelable pour une deuxième année.

J'avais quelques mois devant moi avant de partir pour le Chili. J'en profitai pour pousser un peu plus avant mon analyse du système de santé. Au printemps de 1972, j'écrivais le texte suivant pour inviter les lecteurs de *Québec Presse* à participer à cette démarche:

Tout va très vite au Québec. Nos gouvernants sont constamment acculés au mur et doivent concéder des réformes; et quand ils ne veulent pas plier, nous nous organisons «en marge»; les clubs de consommation naissent comme des champignons, des comités de citoyens se fondent dans tous les domaines, etc. Pourtant, il est un secteur de la vie communautaire face auquel nous nous montrons timides, et c'est la santé. Le gouvernement a bien mis en place l'assurance-santé, mais il l'a fait de mauvais gré — pour ne pas perdre l'argent d'Ottawa — et finalement c'est plus une assurance-revenus pour médecins qu'une réforme véritable dans les soins de santé. Quelques initiatives plutôt isolées tentent bien de rendre accessible à tous la santé: cliniques Saint-Jacques et Pointe Saint-Charles, clinique Centre-Sud, autobus-santé; mais tout cela se passe à Montréal et ne rejoint qu'une minorité. Les Centres locaux de services communautaires (CLSC) permettront à quelques citoyens de se pencher plus attentivement sur les problèmes de la santé, mais leur organisation demeure encore hypothétique et finalement la participation risque fort d'y être illusoire.

J'ai toujours été frappé par l'espèce d'abandon général que manifeste la population vis-à-vis des soins de santé; on continue à considérer les médecins comme des sorciers qui ne peuvent dévoiler leurs secrets, et on leur laisse le champs entièrement libre. Et sincèrement, il faut avouer que toute action dans ce domaine est loin d'être facile; on a vu les moyens déployés par les médecins spécialistes pour faire valoir leur point dans la bataille de l'assurance-santé!

Malgré tout, je crois qu'il est temps qu'on s'interroge attentivement sur les problèmes liés à la santé: l'hygiène, la prévention, l'écologie, la maladie, les soins (médicaments, médecins, hôpitaux, para-médicaux, ...). Qu'on prenne le temps, pour une fois, d'aller en profondeur; qu'on se prépare pour « quand nous serons vraiment chez nous », ce qui ne devrait pas tellement tarder. Qu'on examine chaque facette de la question, pour ne pas aboutir à préconiser des petites réformettes qui finalement ne changeraient que trop peu de choses.

Cette étude que je pense nécessaire, je ne puis la faire seul. Fini ce temps où l'on confiait à l'« expert » le soin de trouver des solutions magiques!

J'ai l'impression que nous avons l'occasion de vivre une expérience intéressante; elle le sera d'autant plus que la participation y sera intense. Pour ma part, j'ai bien l'intention de consacrer une part importante de mon temps à une analyse soignée de notre système de santé. Je n'ai jamais manqué une occasion de dénoncer les vices que j'y détectais, mais il faut avouer qu'une certaine vue d'ensemble me manquait, de même qu'un cadre d'analyse satisfaisant; c'est à ces deux tares que je veux m'attaquer en premier lieu.

Ce texte ne paraîtrait finalement jamais, puisque *Québec Presse* s'éteignait à cette époque. Je ferais donc mon analyse du système de santé avec l'équipe du *Québec Médical.*

CHAPITRE 4

LE QUÉBEC MÉDICAL

Le *Québec Médical* était un mensuel de format tabloid qui constituait «l'organe officiel de la Fédération des médecins résidents du Québec». Envoyé gratuitement à tous les médecins du Québec, il était financé, comme la plupart des autres revues et journaux médicaux, à partir des revenus de la publicité, principalement celle des compagnies pharmaceutiques. Le *Québec Médical* battait de l'aile; très peu de résidents (médecins qui se spécialisent dans les hôpitaux) y écrivaient et en juillet 1972 l'équipe de direction décidait de partir. J'avais commencé à m'intéresser au journal en y envoyant quelques articles; je décidai d'aller plus loin en essayant de constituer une équipe qui réaliserait collectivement le journal. J'en parlai à mon ami Maurice Jobin et il accepta d'embarquer avec moi. Nous avons recruté quelques autres personnes — un étudiant en médecine, une infirmière, un travailleur de fonderie... Nous définissions ainsi notre orientation, dans le numéro d'octobre 1972:

> L'esprit de l'équipe: *un journal ne peut être l'affaire de quelques individus seulement; si au début certaines signatures reviennent souvent, cela vient du fait que l'équipe est*

à se monter lentement et que quelques-uns disposent de moins de temps que d'autres; avec le temps l'équipe s'élargira. Nous tenons à partager la responsabilité à plusieurs, si possible puiser parmi les diverses professions intéressées à la santé de près ou de loin, sans oublier le grand public qui est directement concerné, puisque c'est de sa santé qu'il s'agit. La participation, pour nous, commence avec la conception même des programmes et non simplement quand toutes les structures sont déjà en place.

L'équipe du journal entend travailler à l'amélioration de la santé des Québécois par l'intermédiaire des médecins qui lisent le journal; il faut dire qu'à première vue, nous constatons une multitude de changements importants à apporter à la situation actuelle, car nous percevons notre système de santé comme nettement organisé pour le mieux-être d'une minorité privilégiée plutôt qu'orienté en fonction de l'ensemble de la population.

Le contenu du journal: *en plus des structures de tout le système qui doivent être revues, nous avons déjà identifié quelques aspects de la santé sur lesquels la formation médicale a été particulièrement déficiente; nous voudrions consacrer des études à ces sujets, allant même jusqu'à produire des numéros spéciaux permettant d'approfondir un thème en l'étudiant sur plusieurs aspects. Voici quelques-unes de ces questions:*

— *l'alimentation: ce n'est pas un hasard si les naturistes connaissent une vogue croissante; les médecins ignorent tout dans ce domaine ou, s'ils savent quelque chose, ils ne prennent ni le temps ni les moyens de le communiquer au public;*
— *l'écologie: le milieu a une influence sur la santé et nous devrions nous en préoccuper, si nous voulons faire de la médecine préventive;*
— *le conditionnement physique (par le sport ou l'exercice);*
— *la sexologie.*

Malgré ces quelques idées, il ne faudrait pas croire que le journal est «fermé», c'est-à-dire que tout est déjà décidé: ce n'est qu'un début et à mesure que l'équipe croîtra, le contenu du journal s'enrichira.

L'expérience fut de courte durée; les compagnies pharmaceutiques ne partageaient pas notre vision de la médecine et elles devaient bientôt cesser leur support financier. Nous l'avions prévu, mais nous ne voulions pas pour autant modifier notre orientation. Déjà en choisissant comme thème d'un numéro « les médicaments » nous savions que nous ne pourrions publier bien longtemps.

Cette période s'avéra très fertile. Malheureusement, les textes publiés dans le *Québec Médical* ne suscitèrent pas beaucoup de débats, puisque seuls les médecins recevaient cette publication et ils réagissaient de plus en plus négativement à son contenu, certains nous demandant même de ne plus leur envoyer ce « torchon ». Aussi me permets-je de reproduire quelques-uns des textes que j'ai écrits à l'époque ; la situation a tellement peu évolué depuis que ces réflexions demeurent pertinentes. Voici ces articles :

LA MÉDECINE LIBÉRALE

Nos soins de santé sont de plus en plus socialisés, au sens où, grâce à l'intervention de l'État, ils sont toujours plus accessibles à l'ensemble de la population. En dépit de cette évolution, nous continuons cependant à avoir une médecine libérale. Le Dr Guy Caro, dans La médecine en question *(Maspéro, 1970) note que quatre revendications fondamentales caractérisent la médecine libérale :*

1) le paiement direct du médecin par le patient ;
2) la liberté entière laissée au médecin de prescrire les médicaments de son choix ;
3) le libre choix du médecin par le patient ;
4) la liberté du médecin de pratiquer à l'endroit qu'il désire.

Les médecins qui s'opposent de toutes leurs forces aux empiètements que l'État voudrait faire sur ces libertés affirment qu'ils mènent leur combat pour préserver la qualité des soins donnés aux malades. La thèse du Dr Caro se résume en quelques mots : preuves à l'appui, il démontre que dans un contexte de médecine non libérale, l'ensemble de la population reçoit des services qui sont non seulement de même qualité, mais la plupart du temps supérieurs et que les résistances des médecins à la diminution de « leur » liberté cachent une préoccupation bassement égoïste, celle de conserver leurs privilèges et en particulier celui de s'offrir des revenus très élevés, comparables à nulle autre profession.

L'attitude des médecins québécois ne diffère pas de celle des médecins français. Au moment des négociations avec le gouvernement du Québec, en octobre 1970, les spécialistes ont mis tout leur poids — propagande et même grève — pour convertir le régime d'Assurance-santé en un régime d'Assurance-médecins. Ils ont gagné et aujourd'hui plusieurs réalisent l'ampleur de cette victoire: nombre de spécialistes (et parfois d'omnipraticiens) gagnent tellement d'argent qu'à un moment donné ils estiment que, à cause des impôts qu'ils ont à payer, il devient plus profitable de cesser de travailler pendant quelques mois. Quand on a des revenus qui sont jusqu'à plus de dix fois plus élevés que ceux du Québécois moyen, il n'y a pas de quoi se plaindre.

DES REVENUS ÉLEVÉS: pour faire taire ceux qui dénoncent leurs revenus élevés, les médecins soulignent le fait qu'ils ont beaucoup de dépenses. Effectivement, ils doivent parfois acquitter certains salaires (secrétaire, ...), la location de leur bureau, le téléphone, etc. Mais ils incluent également dans ces frais le coût des abonnements à des revues, l'achat de livres, les dépenses de congrès qui sont souvent des vacances déguisées, les dépenses d'automobile, qui leur sert rarement à faire des visites à domicile, etc. Pour revenir aux revues, livres et congrès (les vrais), quels autres professionnels (travailleurs sociaux, sociologues, psychologues...) qui désirent se tenir au courant des développements scientifiques de leur profession peuvent le faire en s'évitant de l'impôt?

Il est aussi un autre point qu'il faut souligner; les sommes payées par la Régie de l'assurance-maladie ne constituent souvent qu'une partie des revenus des médecins; les examens faits pour les compagnies d'assurance-vie, les salaires versés par les industries ou les institutions qui emploient des médecins à temps partiel, les fonds de recherche, les profits réalisés sur la vente de médicaments que certains continuent à faire, la surcharge (illégale, mais réelle dans certains cas) exigée des patients, tout cela augmente d'autant les appoints des médecins. Et il ne faudrait pas oublier les revenus des propriétés et autres placements, qui résultent des surplus de gain des années antérieures; on s'objectera probablement à inclure ces montants, mais ce n'est pas d'aujourd'hui que les médecins exploitent la population en exigeant beaucoup plus que nécessaire pour leurs services ; et les intérêts de ce trop-perçu contribuent aujourd'hui à la situation ultra-privilégiée des médecins.

Un des facteurs importants qui explique le haut niveau des revenus médicaux découle de l'utilisation que font les médecins des services publics. Cela commence avec les études médicales ; il en coûte au bas mot 100 000 $ pour former un seul médecin. Ces études sont largement subventionnées par l'État tant à l'université qu'à l'hôpital et ne peuvent se faire sans une contribution importante du public qui endure les étudiants en médecine l'utilisant comme cobaye. Une fois les études terminées, le médecin — et surtout le spécialiste — pratique souvent dans le cadre hospitalier, utilisant largement les facilités immobilières, instrumentales et de personnel fournies par l'hôpital en échange dans certains cas de quelques heures hebdomadaires d'enseignement ; par exemple les interventions chirurgicales les plus compliquées exigent la mobilisation de pratiquement tout l'hôpital, et le chirurgien n'y travaille pas plus dur qu'un autre et pourtant il réclame comme s'il devait défrayer toutes les dépenses encourues, ce qui n'est évidemment pas le cas.

En plus d'être extrêmement lucrative, la profession médicale fournit à ses membres une série d'avantages non monnayables qui n'en demeurent pas moins importants. À cette période où le chômage empêche plus de dix pour cent de la population active de gagner honorablement sa vie, le médecin possède une sécurité d'emploi à toute épreuve : qu'il soit narcomane, alcoolique, unilingue français, noir, âgé de plus de soixante ans ou que sais-je, le médecin trouve facilement de quoi s'occuper pour gagner sa vie plus que décemment. Et qui plus est, il effectue toujours un travail certainement plus intéressant que celui de la grande majorité de la population et sa fonction lui fournit beaucoup de gratifications personnelles (reconnaissance, sentiment d'avoir sauvé une vie, etc.). Au plan social, la médecine confère un prestige encore important, même s'il est remis en question par quelques membres de la société : un médecin peut facilement contracter un emprunt s'il a besoin d'argent et même, s'il veut se lancer en politique, sa profession lui donne un avantage marqué sur ses concurrents (selon l'analyse récente d'un politicologue).

Les médecins ont coutume de justifier leurs honoraires élevés surtout à cause de deux caractéristiques de leur pratique : elle commence après de longues et dures années d'étude et se déroule dans des conditions difficiles qui expliquent sa brièveté. La question des études mérite un examen particulièrement attentif, car les médecins qui invoquent cet argument le font souvent de bonne foi, mais en toute ignorance des faits ; ils ont quitté l'université il y a plusieurs années et ne savent pas ce qui s'y passe. Pour être reçu psychologue, travailleur social, ingénieur, mathématicien, etc., il faut aussi étudier pendant quatre ou cinq ans à l'université ; et l'on investit autant de travail pour réussir ses statistiques que pour apprendre son anatomie. Quant aux années de spécialisation, elles se déroulent dans un contexte financier qui, sans permettre les excès, n'expose pas les résidents à la misère : leur salaire et les possibilités d'activités rémunératrices qu'ils trouvent facilement leur permettent d'arriver. Quant au travail du médecin qui a terminé ses études, il est loin d'être le seul à exiger des efforts sérieux et des heures irrégulières et parfois très prolongées ; ces heures de travail qui ne se comptent plus font d'ailleurs partie du passé, dans bien des cas ; rares sont maintenant les médecins qui, en dehors d'heures de garde bien espacées, ne dorment pas leurs nuits entières. Les responsabilités très grandes qui écraseraient les médecins sont le fait de nombreux autres travailleurs de notre société : le conducteur de trains doit veiller à la vie de centaines de passagers, le pilote d'avions également et même le type qui exécute un simple travail technique comme la réparation d'un ascenseur porte la lourde responsabilité de l'accident qui peut être fatal, s'il n'a pas bien ajusté tel ou tel boulon. Décidément, la pratique de la médecine demande de ceux qui la choisissent un sens profond des responsabilités, une excellente préparation et une certaine dose de dévouement ; mais ces exigences ne sont pas faites qu'aux médecins et elles ne justifient pas la rémunération qu'ils s'accordent.

AUX AUTRES LA FAUTE : devant l'augmentation continuelle des coûts des services de santé, les médecins deviennent une cible facile : leurs revenus élevés les mettent en effet en évidence. Mais les médecins se dégagent de toute responsabilité, ainsi que le montre cette manchette de La Presse *du 25 septembre 1972 : « Les coûts de la santé : les médecins renvoient le blâme au public ». Un avion qui faisait de l'acrobatie aérienne s'écrase sur un restaurant et cause vingt-deux morts ; qui blâmer, sinon ces clients qui auraient pu choisir un autre lieu pour manger ? Les coûts de la santé sont trop élevés, à qui le reprocher sinon aux malades qui tordent les bras à leurs médecins pour que ceux-ci leur prescrivent des batteries de tests absolument inutiles ? C'est en effet la conclusion à laquelle sont arrivées trois associations de « professionnels » de la santé : l'Association médicale canadienne, l'Association des infirmières canadiennes et l'Association des hôpitaux du Canada. Une telle déclaration a au moins le mérite de clarifier le rôle de ces associations, car ceux qui en doutaient encore savent maintenant qu'elles n'existent que pour protéger leurs membres. Nos consciencieux professionnels, « las d'être toujours accusés d'être responsables de l'augmentation des coûts des soins médicaux », accusent le grand public d'être à la source de la surconsommation des soins ; en effet, la population « réclame » trop souvent une batterie de tests et les gens se font faire, à intervalles réguliers, des « check-up » à l'utilité douteuse.*

Le médecin qui se fait imposer le choix des tests que son patient subira pratique une drôle de médecine ; les tests ne lui servent plus à confirmer ou infirmer son diagnostic, mais à satisfaire sa clientèle, que le déploiement d'un appareillage élaboré impressionne et rassure. Au lieu de prendre le temps d'expliquer au patient l'utilité des tests et de lui démontrer que dans les circonstances ils ne sont pas indiqués (en un mot, éduquer), le médecin choisit la voie facile : se plier à la demande du patient. Dans le cas des « check-up », il est vrai qu'on peut mettre en doute leur utilité ; mais il ne faut pas blâmer la population d'avoir acquis cette habitude, puisque depuis des années on l'y incite par différentes campagnes comme celles menées contre la tuberculose, le cancer ou le diabète.

Si les professionnels de la santé voulaient être honnêtes, ils chercheraient toutes *les causes de l'augmentation des coûts de la santé. Ils remettraient en question les revenus scandaleux que s'octroient les médecins, ils verraient à calmer le bistouri frénétique de ces chirurgiens ou oto-rhino-laryngologistes qui tiennent à leur ration quotidienne d'opérations même quand dans bien des cas ce traitement n'est pas totalement justifié, ils conseilleraient aux médecins de faire l'économie de ces injections de pénicilline ou de ces vaccins anti-grippaux inutiles mais rémunérateurs ; à l'hôpital, les professionnels pourraient abréger facilement des séjours inutilement prolongés pour ménager à l'administration son* per diem *ou pour éviter au médecin des visites en fin de semaine. Les médecins pourraient aussi considérablement diminuer leurs réclamations à l'Assurance-maladie en ne chargeant que les visites réelles faites au lit du malade et qui ont duré plus d'une minute: le bonjour quotidien de la visite en coup de vent ne justifie pas l'honoraire réclamé.*

LA MÉDECINE: UNE BONNE AFFAIRE OU UN SERVICE? Il est évident qu'on ne peut demander aux médecins de dispenser gratuitement leurs services ou d'exercer leur profession d'une manière telle qu'il ne leur soit plus possible de vivre décemment. Un juste milieu est à trouver et il paraît de plus en plus clair qu'il ne peut se situer ailleurs que dans le salariat.

Avec les années, l'État assume une responsabilité toujours plus grande dans la santé; et c'est une excellente chose, car de cette façon l'accessibilité des soins devient de plus en plus universelle. Mais en même temps qu'il s'avance dans la responsabilité financière, l'État se préoccupe à juste titre de la qualité des soins mis à la disposition de ses commettants; de plus, si le gouvernement veut démontrer des qualités d'administrateur, il se doit de ne pas payer trop cher pour les services qu'il défraie; tout cela conduit à un contrôle de tout le domaine de la santé qui ne peut aller qu'en s'accentuant. Finalement, il devient souhaitable que l'intervention de l'État, au lieu de s'effectuer comme actuellement dans un domaine puis dans un autre, sans politique d'ensemble cohérente, se fasse plus énergique et plus globale; les médecins, qui ne constituent qu'un élément de l'appareil de santé, trouveront alors la juste place qui leur revient dans l'ensemble, alors qu'actuellement ils en prennent beaucoup trop.

Dans une organisation rationnelle des services de santé, où les médecins seront salariés, on voudra nécessairement contrôler leur pratique; en même temps, il faudra leur fournir les moyens de poser des gestes adéquats, ce qui ne peut se faire sans une forme quelconque de formation continue; celle-ci n'est réellement possible que dans le contexte du salariat, qui libère l'individu d'une obligation de poser régulièrement des actes pour recevoir une rétribution. Et même, pour faciliter la tâche à ceux qui veulent devenir médecin et leur permettre d'atteindre dans une proportion convenable au degré de spécialisation nécessaire, il devient souhaitable de considérer l'ensemble de la vie professionnelle comme un tout continu à partir du début des années d'étude ; à ce moment, on peut répartir dans le temps la rémunération de telle sorte que pendant ses études ou après sa période de productivité maximale, le médecin reçoive un salaire convenable.

On le voit, la remise en question du paiement à l'acte provoquée par les gains des médecins sous l'Assurance-maladie doit aller plus loin qu'une simple réforme des taux de paiement ou du mode de rémunération ; les écarts de revenu entre les médecins de même que l'exagération des montants perçus ne constituent qu'un symptôme d'un malaise plus profond qui demande des solutions innovatrices.

*

* *

MÉDECINE ET MILIEU

Nous pratiquons une médecine symptomatique ; à cause bien souvent des médecins qui ne prennent pas le temps d'examiner assez les malades ou qui ne peuvent attendre une évolution qui permettra la caractérisation de la maladie, à cause aussi de toute notre conception de la maladie et de la santé. Car même lorsque nous arrivons à poser un diagnostic valable, dans la majorité des cas nous refusons l'évidence : cette maladie n'est qu'un symptôme d'un mal qui certes déborde le patient devant nous, mais auquel il serait quand même plus logique de s'attaquer si l'on veut guérir aujourd'hui le malade et empêcher que demain il nous revienne avec la même pathologie ou que d'autres en soient atteints. Les consultations de l'omnipraticien sont constituées d'au moins 60 p. 100 de malades psychosomatiques ; les internistes doivent aussi consacrer une part importante de leur temps à de tels malades. Et que dire des psychiatres, dont la totalité des patients est atteinte de troubles où le milieu a une influence indubitable ? Et les pédiatres ? Non, point n'est besoin de quantifier le phénomène pour nous convaincre de l'importance de la variable « milieu » dans l'origine de maintes maladies. Si nous voulons avancer dans notre combat pour la santé, il faudra vite commencer à s'intéresser au milieu dans lequel vivent nos malades.

Bien sûr que les médecins ne sont pas prêts aux nouvelles tâches que requerrait une préoccupation globale de la santé. Depuis longtemps, ils ont été tellement occupés à mener des combats d'arrière-garde, comme la préservation des soi-disant relations malade-médecin, la liberté professionnelle, etc. Mais avant que le réveil ne soit forcé, il pourrait s'amorcer spontanément ; c'est même à se demander s'il n'est pas déjà trop tard, quand on voit le développement que prend le mouvement naturiste qui est en train de récupérer ces domaines où la médecine n'a pas daigné agir comme l'alimentation, le milieu, la surconsommation médicamenteuse, etc.

Pour s'attaquer aux problèmes multidimensionnels qui sont à la source des maladies, les médecins devront faire acte d'humilité et accepter de travailler avec d'autres ; ce qui ne leur semble pas facile. Les médecins se sont toujours considérés comme des demi-dieux qui n'avaient rien à apprendre des autres et ils ont toujours opposé une vive résistance à toute innovation qui leur venait de non-médecins. Au siècle dernier, Claude Bernard faisait noter à Pasteur : « Avez-vous remarqué que lorsqu'un médecin entre dans un salon ou une assemblée, il a toujours l'air de dire : je viens de sauver mon semblable ? » Aujourd'hui, on reconnaît la valeur des travaux des biologistes ou des chimistes ; mais que pense-t-on des psychologues, des sociologues ou des anthropologues ? Vraiment, ce sont des professions « mineures » par rapport à...

LE MILIEU PHYSIQUE : cette nature que nous avons mise à notre main, que nous avons si bien dominée que nous sommes à la flétrir complètement, cette nature est en train de nous faire défaut. Nous croyions qu'elle nous offrait des ressources illimitées, que cet air gratuit ne nous manquerait jamais, que l'eau si abondante et constamment renouvelée absorberait aisément nos déchets. Nous découvrons que l'air ne manque pas, mais qu'y sont ajoutées des substances de plus en plus délétères. Pour trouver de l'eau non pas potable, mais simplement propre à la baignade, il nous faut parcourir des distances toujours plus longues. Le bruit qui nous enveloppe rend de plus en plus illusoire notre repos. Comment s'étonner que les gens aient les nerfs à fleur de peau, comment espérer obtenir des résultats durables avec nos bronchodilatateurs, comment comprendre ces malaises diffus quand chaque inspiration contient des poisons aux effets encore inconnus? Et pas d'espoir véritable à l'horizon, car notre civilisation fondée sur le profit ne peut se passer de tous ses «avantages», et en particulier de l'auto, une des grandes responsables de la détérioration de notre milieu physique. L'auto est l'archétype de notre civilisation: on la fabrique peu durable, de sorte que les gens la changent souvent; pour les aider dans cette consommation effrénée, la publicité (souvent sexuellement orientée) crée le besoin des nouveaux modèles. Les autos sont mal faites, présentant de graves dangers pour leurs usagers, mais les puissantes compagnies qui les fabriquent ont des lobbies dans tous les centres de décision et ils voient à ce qu'on ne restreigne pas leur «libre-entreprise»... criminelle. L'auto est bruyante, l'auto est responsable de plus de 50 p. 100 de la pollution atmosphérique, les carcasses d'auto nous embarrassent, on doit démolir des parties étendues de nos villes pour faire place aux routes ou aux stationnements, ce qui diminue la disponibilité des logements à prix modique. Et malgré tout cela, on ne parle même pas d'une quelconque restriction dans l'usage de l'automobile.

LA SOCIÉTÉ: le laisser-faire qui caractérise la multiplication anarchique et irrationnelle des automobiles n'est pas un phénomène isolé; il est caractéristique de notre société qui favorise les individus, certains individus faudrait-il dire, au détriment de l'ensemble de la communauté. La supposée liberté vénérée comme le principe supérieur devant régir notre société ne devient vite que la possibilité pour une minorité de réaliser les plus grands profits sur le dos de la majorité. Comment ensuite s'étonner qu'un grand nombre d'individus se sentent mal ajustés dans un système où ils ne deviennent que des instruments? Quand ils sont producteurs — au travail, les Québécois sont constamment harcelés pour augmenter leur productivité: les cadences sont accélérées, le travail à la pièce est encouragé, la compétition dans la hiérarchie est impitoyable; jusqu'aux assistés sociaux qu'on trouve le moyen de faire travailler à $0.13 l'heure (cf. l'affaire des sacs à ordures). En tant que consommateurs, les gens ne peuvent plus exercer de choix rationnels, influencés qu'ils sont par une publicité omniprésente et de plus en plus scientifiquement préparée; comme les besoins créés dépassent les possibilités offertes par le salaire (ajusté pour ne permettre que la survie), on a *inventé le crédit, qui permet de dépenser à l'avance ses gains futurs tout en en diminuant la valeur puisqu'une partie importante en est consacrée aux intérêts.*

Quand elle prend conscience de l'exploitation dont elle est victime, la population trouve peu d'espoir de s'en sortir. On lui a longtemps répété que par l'instruction, elle arriverait à améliorer sa situation; les jeunes découvrent que le système d'enseignement, sous ses allures démocratiques, n'a finalement comme fonction que de perpétuer l'ordre actuel et ses injustices. Au plan politique, l'éloignement de plus en plus marqué du pouvoir a déjà fait perdre à la majorité la sensation d'avoir une quelconque responsabilité dans les affaires de la collectivité; nombre d'autres qui croyaient encore ceux qui vantent notre régime comme étant démocratique ont été dégoûtés de constater, suite aux expériences des dernières années, que la fraude, la propagande mensongère et même certaines formes de violence sont plus efficaces pour gagner des élections qu'un bon programme ou d'excellents candidats. Tout cela conduit à un sentiment d'impuissance vis-à-vis d'une société de moins en moins orientée vers l'humain.

DES INDIVIDUS AFFAIBLIS: cette société qui multiplie les exigences, les frustrations, les agressions même, provoque chez les individus une réaction de stress presque permanent; et les individus peuvent d'autant moins endurer cette demande exceptionnelle de l'organisme qu'ils sont déjà en très mauvais état: chroniquement fatigués, ils s'alimentent mal et ont un régime de vie débalancé où les exigences physiques sont réduites, ce qui provoque une baisse de la capacité du corps. Pour poursuivre plus longtemps le rythme de vie effréné exigé d'eux, les gens doivent avoir recours à des «béquilles» qui leur permettent de résister: tranquillisants ou stimulants, selon le cas, sont absorbés à la tonne, alcool, hachish, cigarettes et café aident à tenir le coup plus longtemps. Mais à un moment donné, on craque: c'est la dépression ou plus souvent une des innombrables maladies psychosomatiques du genre ulcère, colite, hypertension, angine, qui évitent de si admirable façon de se poser des questions, car elles tombent sous la «juridiction» de ces fournisseurs de pilules que sont les médecins. Ceux-ci n'ont qu'à se féliciter de l'évolution d'une société qui tout en rendant les gens malades, récompense les médecins pour chaque acte qu'ils posent, les encourageant ainsi à souhaiter le maintien du statu quo.

Lorsqu'on s'arrête à réfléchir sur les causes profondes des perturbations de la majorité de ceux qui nous consultent, les conclusions sont assez évidentes : trop de choses marchent mal pour qu'on puisse sérieusement songer à les réformer une à une sans mettre en doute l'organisation sociale qui les permet ; de plus, ce n'est certainement pas en se cantonnant dans leur bureau que les médecins vont contribuer de façon significative à la restauration de la santé du peuple québécois.

LES MÉDECINS ET LA PRÉVENTION

Pris pour la plupart dans leur pratique quotidienne, les médecins ont rarement l'occasion de penser à la prévention. Quand, par exception, ils envisagent une action préventive, ils dépassent rarement le niveau de l'examen général périodique ou des examens de masse du genre radiographie pulmonaire ou examens scolaires. Pourtant, quand on s'interroge sur les relations existant entre le milieu et diverses maladies, on découvre rapidement une foule de facteurs sinon causals, du moins fortement contributifs aux divers états pathologiques. C'est en travaillant à ce niveau qu'on pourrait arriver à une véritable prévention.

Lorsqu'on veut leur confier de nouvelles tâches, les médecins prétextent qu'ils sont submergés de travail et qu'ils ne trouvent même pas le temps de bien remplir leur rôle actuel. C'est peut-être vrai, mais ce problème n'est certainement pas sans solutions : on pourrait s'exempter de poser une foule d'actes médicaux inutiles (bien que payants !), on pourrait utiliser davantage le personnel para-médical, on pourrait même créer de nouvelles professions de la santé ; et une meilleure action de prévention diminuerait certainement la morbidité d'un grand nombre d'affections et par la suite la nécessité de recourir au médecin.

Pour arriver à un travail préventif efficace, il me semble que deux types d'action devraient retenir davantage l'attention des médecins et de tous ceux qui œuvrent dans le domaine de la santé : l'éducation et le militantisme dans les organismes sociaux.

L'ÉDUCATION : dans ses contacts personnels avec celui ou celle qui vient le consulter, le travailleur de la santé devrait toujours prendre le temps d'expliquer ; celle qui se croit atteinte d'une maladie de cœur mérite davantage qu'un laconique «c'est vos nerfs» accompagné d'une prescription de Librium; celui chez qui l'on diagnostique un ulcère duodénal bénéficiera plus d'une discussion sur son mode de vie que d'une diète lactée; la femme à qui l'on donne des contraceptifs oraux ne risque pas de donner ses pilules à son mari (ce qui s'est déjà vu!) si elle comprend le mécanisme d'action de ces hormones. Dans une société de consommation de masse, la tendance est déjà tellement forte à absorber n'importe quoi sans se poser de questions qu'il devient difficile de fonctionner à contre-courant et de considérer les gens comme des êtres intelligents qui aiment bien comprendre ce qui se passe. Le milieu médical a développé un jargon hermétique qui avait sans doute sa raison d'être quand la médecine se confondait avec la sorcellerie, mais il n'y a plus aucune justification à tenter d'épater les gens avec nos grands mots. Ce n'est pas un hasard si les encyclopédies médicales et autres ouvrages de vulgarisation sont des livres toujours recherchés; d'ailleurs, beaucoup plus que l'efficacité dans le diagnostic et le traitement, qui sont souvent fort difficiles à juger, les gens apprécient au plus haut point la disponibilité à répondre aux questions et la capacité d'expliquer.

Il ne faudrait jamais sous-estimer la capacité de comprendre de ceux et celles à qui nous avons affaire; au lieu de prendre les gens pour des valises, nous devrions bien souvent nous demander si nous avons su nous faire comprendre, si nous avons mis le temps nécessaire en utilisant le langage à la portée des gens. Évidemment, cela prendra du temps. Mais moins qu'on pense, à long terme, car le malade bien préparé suivra mieux son traitement et requerra moins de consultations.

*

* *

Il ne s'agit quand même pas de rêver: les professionnels de la santé ne peuvent passer des heures et des heures avec chaque patient. Aussi faut-il compter davantage sur des moyens plus massifs pour augmenter les connaissances de l'ensemble de la population. Pour les maladies plus courantes, on pourrait organiser des petits groupes de personnes atteintes qui aient l'occasion de discuter de leur maladie, d'entendre par exemple une infirmière leur donner des rudiments sur l'état actuel de nos connaissances dans le domaine, etc. Mais l'éducation du grand public devrait surtout être orientée vers le concept de la santé: comment garder ce précieux bien, comment éloigner autant que possible la maladie. Dans notre civilisation moderne, il me semble urgent de lutter pour rétablir ce qui m'apparaît être les trois piliers de la santé: une alimentation équilibrée, de l'exercice physique régulier et un style de vie adapté aux capacités individuelles. Ce ne serait également pas une mauvaise idée d'élaborer quelque peu sur la sexualité.

Les moyens de se faire entendre ne manquent pas: de multiples organismes ne demanderaient pas mieux que de donner leur micro à des conférenciers qui leur parlent de sujets tenant tellement à cœur à chacun. Je n'arrive pas à comprendre qu'un organisme comme le Service de préparation au mariage ait tant de difficultés, depuis des années, à trouver des médecins qui acceptent d'aller rencontrer les fiancés. Évidemment, cela ne donne pas $100 pour la soirée... Peut-être faudra-t-il en arriver à faire des pressions auprès du gouvernement pour que celui-ci inclue dans la liste des actes remboursables par la Régie de l'Assurance-maladie les rencontres avec des groupes...

Les conférences permettent de rejoindre des groupes plus ou moins grands; les moyens de communication de masse augmentent considérablement l'auditoire, aussi ne devrait-on pas hésiter à les utiliser. Les journaux se prêtent facilement à des chroniques sur la santé; on pourrait davantage utiliser ce moyen, en particulier par l'intermédiaire des journaux de quartier (distribués gratuitement de porte en porte) ou des journaux régionaux (les A-1) qui sont toujours avides de textes à insérer entre les annonces; les chiropraticiens et les naturopathes ont compris cela et c'est depuis longtemps qu'ils rédigent de cette façon ce qui ressemble la plupart du temps à des annonces non payées. Malgré la piètre apparence de ces journaux, il faut savoir qu'ils sont très lus. Quand l'actualité s'y prête, on peut aussi utiliser les tribunes libres qu'ont ouvertes la plupart des quotidiens; la fluoration de l'eau, les accidents de travail, les médicaments brevetés, les salles d'urgence des hôpitaux constituent des sujets qui récemment ont fait les manchettes et sur lesquels les travailleurs de la santé devraient s'exprimer; les lettres des lecteurs constituent une des rubriques les plus lues, d'après bien des enquêtes.

Bien que leur popularité soit quelque peu à la baisse par rapport à ce qu'elle était il y a quelques années, les émissions de ligne ouverte demeurent fort écoutées. Au lieu de critiquer stérilement le professeur Gazon ou Mme X qui se prennent pour des super-spécialistes en tout, les vrais spécialistes de la santé devraient descendre de leur tour d'ivoire et d'une part apprendre à parler un langage accessible, d'autre part accepter le défi de se faire parfois mettre en boîte ou «l'humiliation» d'avouer leur incapacité à régler tel problème concret. D'ailleurs, que ce soit dans les journaux ou à la radio, toute intervention devrait être orientée vers la prévention ou vers l'éducation générale, car il ne peut être question de se substituer par ces moyens aux consultations personnelles.

Quant à la télévision, on est loin d'avoir même commencé à en utiliser toutes les potentialités; il faut souligner l'excellente qualité de l'émission «En mouvement», qui exploite à plein les ressources de l'image et du son. De multiples autres émissions pourraient contribuer à l'amélioration de la santé de la population; il faudra qu'on se montre inventif, car les cotes d'écoute ne pardonnent pas et l'on ne regarde *pas la télévision simplement pour* entendre *un savant professeur nous déclamer un texte appris par cœur et fait pour être lu.*

Voilà donc quelques moyens de contribuer à l'éducation de la population; cette liste n'est pas exhaustive. Par exemple, je n'ai rien dit des possibilités énormes du système d'éducation publique; par des rencontres avec les étudiants ou à l'aide de cours formels, on pourrait inculquer de bonnes bases aux jeunes. Les diverses corporations professionnelles pourraient aussi se prononcer plus souvent sur les questions touchant la santé; il est vrai qu'à force de favoriser si manifestement les intérêts de leurs membres par rapport à ceux du grand public, elles ont perdu presque toute crédibilité; mais avec le temps, on pourrait renverser la vapeur. Il faut par exemple applaudir à l'action récente du Collège des pharmaciens concernant les médicaments brevetés.

LE MILITANTISME: les médecins ne se considèrent pas comme du «monde ordinaire»; on les trouve rarement dans les mouvements qui militent pour l'amélioration de la société; on les rencontre plus souvent dans les groupes qui servent à la promotion personnelle, comme les clubs sociaux ou les chambres de commerce; c'est sans doute dans le même esprit qu'ils se mêlent assez souvent de faire de la politique dans les partis traditionnels... ou en voie de le devenir. Quand on y pense, les médecins semblent bien à l'aise en compagnie de la classe dominante; c'est vrai qu'ils sont fort bien payés par cette classe pour aider les gens à s'adapter à des situations inhumaines de telle sorte qu'ils les accepteront sans mot dire. Il faudrait pour une fois que les médecins aillent jusqu'au bout de cette logique implacable dont ils aiment affubler leur profession et qu'ils cherchent à identifier les véritables causes des problèmes qui leur sont soumis en consultation pour ensuite travailler à les éliminer. Les autres travailleurs de la santé, se considérant un peu plus comme du monde ordinaire, participent plus souvent aux organismes orientés vers l'amélioration de notre société.

Notre société étant ce qu'elle est, il faut admettre qu'on y valorise énormément les «experts», les détenteurs de diplômes. La participation des professionnels de la santé aux divers mouvements de pression donne donc à ces organismes un poids supplémentaire dans l'opinion publique. De plus, l'orientation de ces professionnels permet de donner une impulsion à l'action du groupe vers les aspects plus importants de la santé; par exemple la Société pour vaincre la pollution (SVP) peut diriger ses efforts vers la qualité esthétique de l'environnement, vers l'accès à des loisirs de plein air ou vers des menaces à la survie des humains; les participants transmettront leurs préoccupations au groupe, ce qui se répercutera sur les programmes d'action.

L'éventail des mouvements ou organismes dans lesquels militer est large; tout ce qui cherche sérieusement à améliorer la qualité du milieu, tout ce qui tente de donner une signification à cette vie qui en est si souvent dépourvue, tout ce qui favorise l'humain devrait être encouragé; et quand des actions jugées nécessaires semblent laissées pour compte, il faudrait songer à la création de nouveaux groupes. L'implication des travailleurs de la santé dans les divers mouvements devrait aller plus loin que le simple prête-nom; la participation intense à l'action de ces organismes permet d'opérer une «conscientisation» des autres membres vis-à-vis de l'évolution de notre société technologique et de ses implications sur la santé. Il ne faut en effet pas se faire d'illusions: si l'on veut simplement survivre, *il faudra très bientôt prendre de graves décisions; et de telles décisions ne peuvent venir d'en haut, ne peuvent être imposées de force à une majorité qui les refuserait. Il faudra finalement que des MILLIONS de personnes deviennent convaincues de la nécessité d'actions qui ne peuvent qu'être drastiques. Aussi ne faut-il pas ménager ses efforts si l'on veut arriver à convaincre avant qu'il soit trop tard; les divers organismes d'action sociale, regroupant des gens déjà sensibilisés aux imperfections de notre système social, deviennent donc d'excellents leviers pour un travail de plus grande envergure; les militants côtoyés bénéficient de l'apport des travailleurs de la santé, réfléchissant et apprenant à leur contact. Ils peuvent ensuite devenir de nouveaux «éveilleurs» dans leurs milieux respectifs.*

Pour le moment, nous vivons, des décisions se prennent quotidiennement et j'aimerais qu'elles cessent d'être prises au profit d'une minorité. Nous engageons déjà l'avenir, nous le compromettons même; des projets comme celui de la Baie James sont là pour longtemps; aussi vaudrait-il mieux «veiller au grain» tout de suite. Que ceux qui croient en la nécessité d'un changement global de la société (et j'en suis) ne s'attendent point à la génération spontanée de cette nouvelle société qu'ils espèrent; ou du moins qu'ils n'empêchent pas ceux qui proposent des solutions valables de les appliquer.

Éducation et militantisme constituent deux instruments trop longtemps négligés par les quelques travailleurs de la santé préoccupés de prévention. Une raison importante de cette situation réside sans doute dans la tendance à une spécialisation extrême; on a perdu la perspective d'ensemble pour ne s'arrêter qu'aux détails, ce qui fait qu'on a réduit la signification du concept santé à une simple absence de maladie et que les médecins se sont désignés comme les gardiens presque uniques de la santé, n'accordant aux autres professionnels qu'un rôle de support sans importance réelle. Quand maintenant on commence à reconnaître la multitude des déterminants de la santé, on doit en même temps admettre la multiplicité des niveaux d'interventions possibles. Les médecins n'étant pas préparés aux nouvelles tâches qui découleront de cette évolution, ils devront enfin inclure dans l'équipe de santé des personnes ayant une préparation différente de la leur, des professionnels comme les sociologues, les psychologues, les anthropologues, etc., des techniciens de tous genres et des citoyens de tous les milieux. C'est la fin d'un monopole qui a montré depuis longtemps son incapacité à PRÉVENIR.

*

* *

SURVIVRE À NOTRE SIÈCLE

René Dubos est un biologiste français qui a émigré aux U.S.A. alors qu'il était dans la vingtaine. Depuis plusieurs années déjà, il est reconnu pour la profondeur de ses réflexions et ses livres sont constamment acclamés, en particulier parce qu'ils sont le fruit d'une érudition rare. Dubos se préoccupe de plus en plus de toute la question du milieu dans lequel nous vivons, ce milieu que nous transformons mais qui en même temps exerce une influence sur nous. Lancés dans la consommation de masse, produisant pour produire, où nous arrêterons-nous ? Dans son livre Cet animal si humain, *c'est cette question angoissante que Dubos essaie de poser de façon telle que nous ne puissions nous dérober: «nous nous comportons souvent comme si nous étions la dernière génération à habiter la Terre», affirme-t-il; puis un peu plus loin il dit: «tous ceux qui réfléchissent s'inquiètent de l'avenir des enfants qui auront à passer leur vie dans le milieu social et physique absurde que nous leur créons sans réfléchir...»*

La question de la qualité de l'environnement se poserait différemment si nous n'avions pas le choix: «la laideur de l'environnement et le viol de la nature peuvent être excusés quand ils résultent de la pauvreté, mais pas quand ils surviennent au milieu de l'abondance, quand ils sont causés par la surabondance même». Et justement «le comportement agressif en vue d'obtenir de l'argent ou du prestige, la destruction des paysages et des lieux historiques, le gaspillage des ressources naturelles, les menaces à la santé créées par une technologie irréfléchie — toutes ces caractéristiques de notre société contribuent à la déshumanisation de la vie».

Dubos n'oublie pas qu'il est biologiste: son livre nous renvoie à de multiples observations ou recherches sur les relations entre le milieu et l'homme: «l'idée maîtresse de ce livre est que toutes les expériences laissent leur marque sur les caractéristiques physiques comme sur les mentales». Il commence donc par étudier l'histoire de l'évolution de l'homme, distinguant les effets du milieu et de l'hérédité et montrant en même temps l'influence de ce milieu sur les caractères héréditaires. Il insiste particulièrement sur l'importance du milieu dans le devenir de l'enfant et se demande si on ne devrait pas parler de «freudisme biologique», en ce sens que les influences physiques de l'environnement conditionneraient en fin de compte la santé future (physique et psychologique) de tous les êtres humains. À l'appui de cette thèse, il montre à partir de multiples exemples que tout homme possède une «mémoire biologique des choses passées», des événements vécus par l'individu mais aussi par sa race depuis des millénaires et même par ses ancêtres dans la chaîne de l'évolution.

La tragédie de l'homme, qui en même temps a été son instrument de survie, c'est sa capacité d'adaptation: «paradoxalement, l'aspect le plus effarant de la vie humaine est que l'homme peut s'adapter à presque n'importe quoi, même à des conditions qui vont inévitablement détruire les valeurs mêmes qui ont donné à l'espèce humaine son caractère unique». En effet, cette adaptation ne peut se faire sans coûts: «l'histoire confirme les observations actuelles qui démontrent que l'homme peut s'adapter, socialement et biologiquement, à des façons de vivre et à des milieux qui ont fort peu en commun avec les conditions de vie dans lesquelles la civilisation a pu naître et évoluer. L'homme peut survivre, se multiplier et créer des richesses matérielles dans un environnement surpeuplé, monotone et complètement pollué, à condition qu'il renonce à ses droits individuels, accepte certaines formes de détérioration physique et soit indifférent à l'atrophie émotive». Les avantages qu'on reconnaît à la civilisation occidentale ont comme contrepoids la pollution de l'environnement, la suralimentation et le manque d'exercice avec toutes les conséquences qu'on sait pour la santé, la multiplication des stress, etc. C'est à se demander si à long terme de nouvelles pathologies ne feront pas leur apparition.

Pour Dubos, il devient évident qu'un vigoureux coup de barre doit être donné: «la technologie devrait avoir comme but premier la création d'environnements dans lesquels le plus grand éventail de possibilités humaines puisse se dérouler» ; mais cette technologie que nous développons si bien est devenue presque autonome ; nous la développons sans nous demander pourquoi : « toutes les sociétés influencées par la civilisation occidentale sont maintenant engagées dans l'évangile de la croissance... qui enseigne : produisez plus de telle sorte que vous pourrez consommer plus pour pouvoir produire encore plus ». Non réellement, « nous ne pouvons longtemps encore continuer la tendance actuelle à corriger les inconvénients mineurs et à ajouter des conforts inutiles à la vie au coût d'une augmentation de la probabilité de désastres et en même temps de la dégradation de la qualité de l'expérience vécue » ; un changement de mentalité, une nouvelle philosophie de la vie s'imposent. Il faut travailler à créer un environnement qui soit réellement épanouissant ; ou plutôt des environnements, car on devra respecter la nature humaine qui peut s'épanouir dans des circonstances fort variées, où des choix demeurent possibles. Dubos termine son livre en s'interrogeant sur ce qu'il faut conserver au juste et en réfléchissant sur le type de villes qui pourraient convenir.

Dubos n'est pas le seul à se poser des questions ; aussi a-t-il trouvé de nombreux appuis. Mais la « conversion » de la majorité est loin d'être faite et ceux qui commencent à réfléchir sur le sens d'une vie qui perd de plus en plus sa saveur humaine trouveront des arguments convaincants dans Cet animal si humain.

CHAPITRE 5

LE CHILI

Fin janvier 1973, je suis arrivé au Chili avec toute ma famille; nous nous installions pour un minimum d'un an, peut-être pour deux, le temps de réaliser le travail de recherche que j'avais proposé au Centre de recherches pour le développement international.

Mon projet de recherche était ambitieux: je voulais essayer de trouver les facteurs qui déterminent les politiques de population dans le monde. Je cherchais donc un moyen d'obtenir un support quelconque dans cette entreprise; je décidai de m'inscrire en sciences politiques à un institut que je découvris sur place, la Facultad Látino Americana de Ciencias Sociales (FLACSO).

J'avais bien choisi l'endroit pour réfléchir: FLACSO était un institut bien structuré qui réunissait d'excellents professeurs fort engagés dans divers pays d'Amérique latine; les étudiants étaient également triés sur le volet, chaque pays ne pouvant en inscrire que quelques-uns. J'étais le premier Nord-Américain à être officiellement accepté.

Les cours étaient passionnants, mais extrêmement exigeants. Presque tous les professeurs étaient d'orientation marxiste. Je n'avais aucune base dans ce domaine, je devais donc travailler beaucoup. Le pays où nous vivions était également captivant : c'était le Chili d'Allende, qui voulait « ouvrir la voie au socialisme ». Nous assistions au réveil d'un peuple qui depuis des décennies avait été opprimé et qui commençait à vivre ; mais la bourgeoisie, à qui avait échappé momentanément le contrôle du gouvernement, ne l'entendait pas de la même façon et elle déployait tous ses efforts pour rétablir l'« ordre », *son* ordre. C'était la lutte de classes à ciel ouvert.

Le 22 juin, je notais dans mon journal :

La distance qui sépare les possibilités d'épanouissement selon les diverses classes sociales me heurte maintenant à chaque jour et sans doute dans un pays comme le Chili, où le contraste est encore plus marqué qu'au Québec, est-ce difficile d'échapper à cette blessure. Pour ce prolétariat qui trime dur et qui pourtant ne réussit qu'à se maintenir au niveau de la survie (pas toujours même !), quelle peut être la signification de la vie ? Des fourmis... Quant à ces bourgeois baveux, exploiteurs et jamais satisfaits, ils bénéficient de tout leur temps pour réfléchir et donner un sens humain à leur vie ; la plupart du temps, ils ne le font pas, mais tout au moins peuvent-ils se livrer à des activités qui dépassent le niveau survivance... Et moi dans tout cela ? J'ai bien tenté de réformer ; et je n'ai pas à me blâmer d'avoir ainsi agi (même si je déplore la perte de tant d'années), car je suis allé jusqu'où je pouvais, avec les connaissances que j'avais ; la superstructure québécoise était puissante, qui nous a si bien protégés de toute velléité révolutionnaire ! Mais fini le réformisme : il faut résolument apporter des transformations profondes à notre société. L'urgence de la tâche ne doit cependant pas nous faire perdre de vue son ampleur.

Il faudra que j'arrive à ordonner toutes mes activités vers ce but : renverser cette pseudo-démocratie pour arriver à confier le pouvoir à la vraie majorité et ainsi construire le socialisme. Même si à venir jusqu'à maintenant j'ai pu voir à quelques reprises l'étau de la répression se refermer sur moi, je me sens encore bien inoffensif, puisqu'on me laisse en liberté, qu'on va même jusqu'à m'accorder une bourse pour le Chili!

Je continuais à collaborer à *Québec médical*, qui vivotait encore; ainsi en juillet j'envoyais cette «Lettre ouverte à Francine Dufresne», pour la chronique «Au fil des lectures»; elle ne parut jamais, puisque le journal avait cessé d'exister:

Chère Francine,

Je referme le livre que tu as publié il y a quelques mois chez Ferron et qui porte le titre fort peu approprié de Une femme en liberté. *Il est possible qu'il s'agisse d'un acte de libération que tu as posé, une sorte d'exorcisation que tu as tentée; mais à la manière du cheval qu'on sort de l'écurie et qui gambade en liberté* dans son pré, *à l'intérieur de l'enclos.*

Il est difficile de sortir d'une dépression; et tes critiques vis-à-vis de tout cet appareil de «récupération» par lequel tu as été gobée après ta tentative de suicide sont fort justes:

— sur les médecins: «*Êtes-vous vraiment ce que vous prétendez être? De vrais professionnels de la santé? Ou des statisticiens de symptômes? De véritables gardiens de la vie? D'enthousiastes promoteurs de la qualité de la vie? Pourquoi alors agissez-vous comme de véritables terroristes lorsque vous dites à vos patients: «... si vous n'acceptez pas les électrochocs, je vous transfère à Saint-Jean-de-Dieu», jouant ainsi avec l'image horrifiante que suscite dans l'inconscient collectif québécois la seule évocation de cet hôpital qui, quelle que soit sa qualité, un certain professionnalisme dans les soins, provoque toujours des réactions émotives démesurées. Et ça, VOUS LE SAVEZ.*»

— sur le traitement psychiatrique: «*Je ne veux plus être un radar à pilules. Mais on veut tellement me guérir, me "resocialiser" qu'on était en train de me rendre malade de niaiserie et d'apathie.*»

— sur l'hôpital: «*Des hôpitaux où il faut entrer moribonds pour y être soignés!... Ce que j'en ai vu et entendu de sottises et de mesquineries dans cet hôpital.*»

— sur la réadaptation: «*Où sont-ils les foyers de transition pour ceux souffrant ou ayant souffert de troubles mentaux, psychosomatiques, psychiatriques,* et cetera? *La brutalité du changement; cette brusque transition entre une aile psychiatrique à sécurité maximum et un petit appartement de la rue Durocher est telle, qu'elle en est quasiment inhumaine. Le moins que je puisse dire, c'est que décidément il y a, dans ma vie, des mois qui manquent de douceur.*
Espèce de médecins de cons, — je ne pense ici qu'à ceux qui ont prétendu me soigner! — ne savez-vous donc pas qu'une dépression nerveuse, six jours de coma, plus une anorexie, plus la grande déprime, ça se soigne en milieu hospitalier évidemment. Mais en partie seulement. Et c'est la partie la plus facile. Car le moment le plus dur, le moment délicat entre tous, c'est le retour en ville, à la «civilisation». C'est à ce moment-ci que j'ai le plus besoin de vous. Fourrez-vous-le dans le cul votre rendez-vous pour dans trois semaines. Au fait, avez-vous déjà pensé demander à vos patients dans quelle situation précise, dans quel environnement physique et humain ils seraient plongés à leur sortie de l'hôpital?»

Le désespoir t'a forcée à réfléchir; des interrogations surgissent: «*Votre expérience de cliniciens ne vous a donc pas encore fait comprendre que souvent la maladie mentale est une tentative spontanée de guérison. Le désir légitime de surnager, mais au-delà de ses forces trop souvent, dans un environnement socio-économique ou humain souvent insoutenables? Vous êtes-vous déjà demandé si certains de vos patients n'avaient pas raison après tout? Si votre résistance nerveuse à vous aurait tenu le coup aussi longtemps devant des difficultés similaires?*»

Tu vas même jusqu'à remettre en question cette société qui happe ceux qui se laissent prendre à son jeu: «*Faut-il être assez conne? Faut-il avoir été assez conditionnée, malaxée, broyée et offerte en guise d'offrande au dieu dévorant du travail? À la soif inextinguible de la production? À la bâtarde consommation, pour se sentir coupable de ne pas travailler? Mon âme, ma santé, ma vie, ne sont-elles pas plus importantes que quelques cachets ou honoraires professionnels?*»

Tu te demandes que faire; les «conspiratrices» que tu héberges pendant un certain temps te forcent à te situer vis-à-vis d'une action en vue d'un changement global; du revers de la main, tu écartes: «Marxisme, socialisme, capitalisme, terrorisme, maoïsme, catholicisme, sont chapeautés pour moi par un même et unique phénomène d'endoctrinement. Je ne me suis pas libérée de mes vieilles œillères pour m'en procurer une autre paire, plus obscurcissante encore... et qui conduit toujours irrémédiablement à une certaine forme de fascisme.»

Quelle salade! Et tu tombes dans le piège de Charles Reich et sa révolution pour le bonheur, que tu cites abondamment: «L'ennemi à combattre c'est le dédoublement dû au cloisonnement d'une personnalité de travail et d'une personnalité privée. L'ennemi à démasquer, c'est une certaine forme de conscience qui sépare nettement les valeurs professionnelles de celles de la vie familiale.»

La propagande t'a bien pénétrée: tu penses que les révolutionnaires sont des violents qui tirent à bout portant sur tout ce qui bouge, qui veulent faire une révolution «selon des principes et théories qui datent de plus de cent ans.» Tu dis: «une vie humaine me semblera toujours plus importante qu'un principe». Il semble que d'après toi, on ne puisse tuer qu'avec un fusil; as-tu oublié ces malades de l'hôpital qu'on laissait aller faute de soins adéquats? Ces ouvriers qui crèvent (au Mont Wright ou ailleurs) parce que leurs patrons mesquinent sur les mesures de sécurité? Ces Angolais qui récoltent du café à un salaire tel qu'ils ne peuvent même pas alimenter leurs enfants? Et combien d'autres...

En fait, tu es prisonnière de ton milieu, de cette classe sociale dans laquelle tu es bien incrustée, comme le démontre la liste de tes fréquentations fort impressionnantes, toutes ces personnalités à qui tu dédies ton livre. Ce milieu où l'individualisme prime, où l'aisance est suffisante pour qu'on puisse encore avoir le temps de disc erter sur cette liberté qui se situerait en marge du capitalisme, socialisme, etc., mais où en même temps on se refuse à renverser un système qui offre de tels avantages sinon à tous, du moins à cette minorité dont on fait partie... «Mais la révolution doit-elle être envisagée par le biais du collectif, ou doit-elle être avant tout personnelle, pour finalement irradier sur le collectif? Et moi, j'opte d'instinct *pour la révolution personnelle».*

Tu vis dans un monde artificiel plein de préjugés, le monde des privilégiés qui ne veulent pas admettre qu'ils profitent, directement ou non, de l'exploitation des autres. Ton préfacier nous donne un excellent exemple du genre de préjugés du milieu: «Je lui révélerai, ici, qu'à la fin, je me demandais comment une pauvre petite dixième année "à l'école" pouvait conduire à cette maturité et à cette connaissance si particularisée de la vie, de l'homme, du vrai, en somme, de ce qui vaut la peine d'être vécu?»

Comme si la vie s'apprenait à l'université...

Ton enclos est construit de broche d'or: il ne t'en empêche pas moins d'accéder à cette liberté véritable qui, au contraire des billets d'avion, ne s'achète pas; cette liberté qui n'est pas l'apanage d'une minorité, mais de la majorité qui ne travaille plus pour le profit mais pour l'établissement d'une société dans laquelle n'existe plus de minorité privilégiée.

De plus en plus, je devenais convaincu de la nécessité du socialisme; mais je n'en oubliais pas pour autant ma préoccupation pour tout le domaine de la santé. Peu à peu, s'opérerait la synthèse des deux. J'écrivais, le 16 août:

Tout le domaine de la santé m'apparaît comme un secteur fort faible dans le développement du socialisme: on parle de socialiser les soins, i.e. de rendre les hôpitaux, les médecins et les médicaments accessibles, mais les régimes capitalistes avancés le font aussi, puisque c'est leur intérêt d'avoir des travailleurs en santé. Il se forme, dans les pays en cheminement vers le socialisme ou le communisme, des comités de santé impliquant des membres de la communauté. Mais il me semble qu'on n'a pas — ou à peine — commencé à exploiter les possibilités de mobilisation qu'offre la santé; car quand même, quand en aura-t-on terminé avec la santé? Non pas seulement la maladie, mais la prévention (primaire, secondaire et tertiaire) et surtout la santé positive, *celle qui nous permet de multiplier nos possibilités, d'avoir un beau corps, de l'endurance, etc. Les recherches dans ce domaine sont à peine amorcées, et déjà on en sait assez pour travailler pendant des générations...*

Le 9 septembre, deux jours avant le coup d'État qui allait renverser le gouvernement de l'Unité Populaire et provoquer la mort d'Allende, j'écrivais un article pour je ne sais quelle revue ; je ne crois pas qu'il ait jamais été publié :

Nous possédons au Québec un Collège des Médecins et chirurgiens qui légalement aurait pour fonction de protéger les intérêts du public face aux médecins, dans le domaine de la santé; mais pratiquement, le Collège a toujours davantage joué le rôle de protecteur des médecins, veillant directement à leurs intérêts par des mesures comme le contingentement des étudiants, l'imposition d'exigences inacceptables pour les médecins étrangers, etc., ou encore en étouffant habilement les plaintes et réclamations dirigées contre ses membres. Le dosage dans l'importance accordée à l'une ou l'autre des fonctions (protection du public — protection des médecins) a varié avec les équipes dirigeantes du Collège, mais jamais l'institution n'a cessé de protéger les intérêts des médecins, même depuis que d'autres organismes existent pour cette fin spécifique, les deux fédérations de médecins.

En stage au Chili depuis huit mois, je suis à même de voir fonctionner un autre Collège des médecins qui, en gros, a les mêmes fonctions que le nôtre ; mais la situation politique différente nous le révèle sous un autre jour, comme nous allons le voir. Et on peut dégager de son comportement quelques leçons qui pourraient nous être fort utiles.

Il y a exactement trois ans, un ancien président du Collège des médecins, le Dr Salvador Allende, a été élu président du Chili ; c'était le candidat de l'Unité Populaire, formée surtout des partis Socialiste, Communiste et Radical. Depuis, le Chili s'est engagé dans la voie de réformes qui d'ici à quelques années devraient conduire au socialisme. Salvador Allende a été élu pour six ans ; chaque élection de conseillers municipaux, de députés ou de sénateurs, montre que malgré les problèmes nombreux dont souffre le pays, le soutien de la population croît. À tel point que la droite, dirigée par une bourgeoisie qui a peur de perdre ses fort nombreux privilèges, abandonne de plus en plus l'espoir de reprendre démocratiquement le pouvoir. Aussi recourt-elle à tous les moyens pour tenter de faire s'écrouler le gouvernement: tentatives d'augmenter l'insatisfaction populaire, sabotage de l'économie du pays, essais de coup d'État. Le Collège des médecins et la majorité de ceux qui en sont membres s'est constitué en fer de lance de tous les efforts séditieux.

La mauvaise volonté est évidente. Depuis l'élection d'Allende, le Collège refuse de reconnaître les ententes signées antérieurement avec d'autres pays, ententes qui accordaient le droit de pratique au Chili pour leurs ressortissants; pourtant, le pays connaît un déficit d'environ 4500 médecins. Chaque fois qu'un organisme entreprend une campagne contre le gouvernement, il reçoit automatiquement l'appui financier du Collège. Lors de la grève des patrons d'octobre 1972, visant à ruiner totalement l'économie du pays et ainsi forcer Allende à démissionner, le Collège des médecins a été un des premiers organismes à décréter l'arrêt de travail, qui a duré un mois. Il y a quelque temps, le Collège a mené une campagne auprès de ses membres, pour leur signaler les avantages de la pratique dans les «démocraties» voisines (comme le Brésil et l'Uruguay); ensuite, il a procédé à un recensement de ceux qui seraient prêts à partir.

Le 4 mars 1973, après l'élection des députés et sénateurs par laquelle la population a fourni un appui encore plus massif à Allende, la droite a définitivement perdu tout espoir. Et depuis, c'est une offensive croissante, dont une fois encore le Collège des médecins s'avère l'avant-garde. Ainsi depuis six mois j'ai assisté à des grèves des médecins pour les motifs suivants: appui aux mineurs d'El Teniente, appui aux propriétaires d'autobus, représailles contre la nomination d'un administrateur qualifié d'indésirable à l'hôpital El Salvador, appui aux propriétaires de camions, protestation contre le manque d'essence, protestation contre l'insuffisance d'oxygène dans les hôpitaux; j'en oublie certainement. Le Collège a aussi incité ses membres à ne pas payer les plaques des autos, qu'il jugeait trop coûteuses, menaçant de faire... la grève si on n'en réduisait pas le tarif. Et depuis vingt-deux jours (jusqu'à quand, je l'ignore), les médecins sont en grève: ils avaient de vagues réclamations professionnelles, mais politiquement ils étaient clairs: pour mettre fin au marasme, il faut que le président du Chili démissionne. Rien de moins. Le gouvernement est très complaisant avec les médecins: il y a trois jours, il leur a accordé tout ce *qu'ils demandaient, au point de vue professionnel; les représentants du Collège ont donc dû signer une entente s'engageant à un retour au travail le lendemain. Ils ont été désavoués par leurs membres, qui se sont nommés d'autres représentants, lesquels n'ont rien signé avec le gouvernement... donc la grève continue.*

Les médecins ne se contentent pas de refuser de travailler avec le gouvernement: ils travaillent directement contre. *On en retrouve dans la liste des bailleurs de fonds du mouvement terroriste* Patria y Libertad, *qui a une dizaine de morts sur les bras depuis un mois. On les a surpris à voler du matériel dans les hôpitaux, jusqu'au sérum dont ils déplorent la rareté, pour monter les hôpitaux clandestins nécessaires aux militants de* Patria y Libertad. *Quand il leur arrive de faire de la médecine, ils se livrent à une propagande séditieuse, recourant à un chantage honteux comme dans le cas de cette femme qu'on a refusé d'opérer, lui disant: «Vous reviendrez quand votre président sera parti».*

Comme dans tous les pays «libres», les médecins vivent bien, au Chili. Comme partout ailleurs, il est difficile de calculer leurs revenus: dans ces professions libérales, on est si mauvais comptables! Car en plus de travailler à contrat pour l'État, les médecins ont le droit de faire du bureau privé. Voyons tout de même quelques chiffres.

Au Chili, on emploie une unité de mesure du revenu qui se nomme le «salaire vital», qui serait le minimum permettant de survivre. Il y a 816000 ouvriers et 54100 employés qui gagnent actuellement moins d'un salaire vital par mois, parmi les salariés; 307100 employés et 497300 ouvriers gagnent entre 1 et 2 salaires vitaux. Ce qui fait 69.3% de tous les salariés; et il y a encore cette foule de non-inscrits — employées domestiques, vendeurs ambulants, etc. — qui ne dépassent certainement pas le salaire vital mensuel. Or les médecins qui travaillent pour l'État reçoivent actuellement 1.2 salaire vital par heure hebdomadaire *travaillée. Un médecin qui fournit trois heures l'avant-midi et trois heures l'après-midi cinq jours par semaine perçoit donc 30 × 1.2 = 36 salaires vitaux par mois. À son bureau, il requiert entre ½ et 1 salaire vital* par consultation. *On voit donc: 1) la disparité salariés-médecins; 2) l'intérêt à faire la grève, car pendant la grève, on pratique en médecine privée... Dans l'accord ratifié puis rejeté par le Collège des médecins, le gouvernement accordait 2 salaires vitaux par heure hebdomadaire (il est également à noter que le salaire vital était périodiquement réajusté pour tenir compte de l'inflation).*

Tous les médecins ne sont pas des exploiteurs. Environ 30% d'entre eux demeurent à leur poste, malgré les menaces répétées, pour assurer tout au moins l'urgence. Ces médecins se sont regroupés et ils réclament une intervention plus radicale du gouvernement ; ils voudraient que celui-ci accorde directement le droit de pratique. Ce qui, à brève échéance, signifierait la mort du Collège des médecins, qui garde un contrôle sévère de ses membres par l'exclusivité qui lui est donnée dans l'acceptation des membres aptes à pratiquer la profession. Ce qui permettrait du même coup d'admettre des médecins d'autres pays.

Le Québec n'est pas un pays socialiste. Il n'est même pas en voie de le devenir, à court terme. Mais ce n'est quand même qu'une question de temps. Et dans la phase actuelle, la stratégie la meilleure consiste certainement à concentrer entre les mains de l'État le plus de pouvoirs possible, de sorte que quand viendra le moment d'instaurer le socialisme, il ne restera qu'à s'emparer de ce pouvoir étatique. Tandis qu'en laissant disperser le pouvoir, cela implique qu'il faut prendre le contrôle de beaucoup plus d'organismes ; ainsi au Chili le prolétariat a pris en main le gouvernement, mais le contrôle du Collège des médecins — et de combien d'autres corporations — lui échappe. Et comme on peut le constater, ces portions de pouvoir non contrôlées se tournent contre lui.

Dans l'état actuel des choses, la tâche la plus importante, pour les médecins (ou futurs médecins) québécois progressistes, consisterait donc à s'organiser pour faire disparaître le Collège des médecins, de sorte que l'État prenne directement en charge les fonctions que cet organisme remplit, et en particulier l'octroi du droit de pratique. Sans doute serait-il possible d'instaurer, en même temps que le gouvernement assume cette nouvelle responsabilité, une obligation de contrôle périodique de la qualité de la médecine exercée.

Le renversement du gouvernement par les militaires d'extrême-droite appuyés par la bourgeoisie locale et la CIA américaine allait mettre brutalement fin à toute la vie démocratique du pays. Tous les Chiliens qui avaient appuyé le gouvernement Allende et tous les étrangers qui avaient fui la répression de leur pays ou qui étaient venus participer à cette expérience unique de « transition vers le socialisme » allaient devenir l'objet d'une persécution systématique et implacable. Dans les circonstances, il n'était plus question de poursuivre tranquillement mon travail de recherche ; les amis que nous nous étions faits, les amis de nos amis, les gens que nous ne connaissions pas mais qui avaient le tort de penser autrement que la junte militaire, tous ceux-là étaient soudainement en danger de mort et il fallait les aider à sortir du pays.

Nous étions quelques Québécois à Santiago, pour la plupart aux études. Nous nous étions croisés, avant le coup d'État, mais chacun menait sa vie de son côté. Après le renversement d'Allende, nous nous sommes rapprochés pour tenter d'apporter l'aide la plus efficace possible tant à ceux qui voulaient rester qu'à ceux qui devaient partir. Notre statut de « Canadiens » nous aidait : le gouvernement militaire ne voulait pas indisposer ses voisins du nord, les Américains ; et quelle différence entre Américains et Canadiens ? De plus, l'ambassadeur du Canada au Chili était en très bons termes avec les militaires qui venaient de s'emparer du pouvoir... Aussi jouissions-nous d'une relative sécurité. D'autant plus que l'institut où j'étudiais, FLACSO, du fait de ses liens avec les Nations Unies, avait fourni un sauf-conduit diplomatique à tous ses professeurs et étudiants.

À cause du type d'orientation qui y prévalait, il était clair que FLACSO ne pouvait continuer à fonctionner comme avant. D'ailleurs, malgré les sauf-conduits et les pressions internationales, plusieurs des professeurs qui y enseignaient et encore plus d'étudiants furent arrêtés ; dans les jours qui suivirent le coup d'État, deux de mes camarades de classe furent même sauvagement abattus. J'ai donc mis de côté pour quelques mois mon étude sur les politiques de population ; le climat était tel qu'il était impossible de me consacrer à un travail théorique. Il fallait tenter d'aider concrètement ceux qui nous entouraient, il fallait aussi essayer de sortir le plus d'information possible sur ce qui se passait, car les militaires faisaient tout en leur pouvoir pour contrôler l'information. Pendant quelques mois, nous avons fait pression sur le gouvernement du Canada pour qu'il accueille davantage de victimes de la répression : démarches individuelles, lettres publiques et articles constituèrent donc la tâche première de cette période.

À la mi-novembre, je tombais subitement malade : j'étais atteint d'hépatite infectieuse. Un mois sans sortir du lit, quelques autres mois de convalescence. Notre permis de séjour au Chili se terminait ; nous demandâmes une prolongation de deux mois qui nous fut accordée.

J'avais le temps de penser et d'écrire ; j'en étais physiquement incapable. Dans mon lit, j'écrivais tout de même, le 16 décembre :

> *Lorsqu'on annonce un coup d'État en Amérique latine, personne ne s'émeut : il s'agit d'un événement coutumier. Un de plus, dit-on ; de nouveaux colonels ont remplacé les anciens...*
>
> *Le Chili échappait à cette réputation. Sans que son histoire soit totalement exempte d'interventions militaires, ce n'ont été que des faits isolés et lointains. Mais les Chiliens ne perdaient rien pour attendre et finalement, le 11 septembre, ils ont eu leur coup, qui a su concentrer toute la brutalité des coups auparavant évités.*
>
> *Jamais on ne connaîtra le bilan exact de l'opération amorcée le 11 septembre : car la tâche que se sont assignée les militaires — « extirper le cancer marxiste » — est loin d'être terminée. Les méthodes d'extraction ? L'extermination en pleine rue, les fusillades, la torture, l'emprisonnement massif préventif, les congédiements arbitraires, le contrôle étroit de toute l'information, l'interdiction de réunions, d'élections, d'associations syndicales ou autres, etc. Plusieurs parlent de 20 000 morts ; le chiffre importe peu. Les tragédies qu'il traduit sont cependant réelles et* le massacre continue*; moins massivement sans doute, les*

méthodes se raffinant, mais en même temps elles se perfectionnent, rejoignant ceux qui ont été oubliés dans la chaleur des premières tueries.

Dans un tel contexte, j'ai lié connaissance avec la peur. Théoriquement, je ne devrais rien avoir à craindre : au pays depuis moins d'un an, je ne me suis aucunement immiscé dans les affaires locales. Parlant à peine la langue du pays et venant d'une contrée lointaine sans intérêts à la subversion, je devrais être laissé en paix.

Mais voilà : dans la situation, on ne s'embarrasse pas de subtilités, de droits humains, de la théorie. Ma barbe me désigne presque automatiquement comme « extrémiste de gauche ». L'institution où j'étudiais à Santiago accueillait par nature, puisqu'il s'agit de la Faculté latino-américaine de sciences sociales, des étudiants de divers pays voisins qui, aux yeux des militaires, deviennent des « agitateurs du communisme international ». FLACSO apparaît donc comme un nid de dangereux extrémistes.

Parmi les livres que je possède — je fais une étude comparative des politiques de population en régime capitaliste et en régime socialiste — il s'en trouve de Marx, de Lénine et de Mao. La propriété de tels écrits a été suffisante pour motiver l'arrestation de centaines de personnes, alimentant les autodafés des jeunes militaires en mal de réjouissances. À un moment où les soldats étaient omniprésents, où ils perquisitionnaient maison par maison certains secteurs de la ville, où chaque randonnée à l'extérieur du foyer nous précipitait presque immanquablement sur un barrage militaire, j'avais peur. Surtout qu'autour de moi, des amis tombaient, certains se retrouvant en prison, d'autres froidement assassinés. Parce qu'ils étaient étrangers. J'ai appris à ressentir les effets du surfonctionnement des surrénales ; à vivre avec une menace constante au-dessus de soi, qui écrase et énerve insensiblement. Malgré la peur, il a fallu faire face. Des amis qui fuyaient ; d'autres qui étaient arrêtés avaient besoin d'aide. Il fallait choisir : le chacun pour soi ou la fidélité aux solidarités.

Dans les circonstances, la peur est sans doute une réaction générale normale, à moins d'être inconscient ; c'est dans la façon d'y réagir que les différences s'observent. Probablement que le facteur déterminant est la philosophie de la vie de chacun. Personnellement, je tiens à la vie, mais pas à n'importe quelle sorte de vie; je ne puis accepter de tirer mon épingle du jeu pendant que les autres restent mal pris. Je crois aussi que vis-à-vis de toute répression, il faut des gens qui restent debout; ils risquent d'être heurtés, mais aussi c'est par eux que s'amorcera la résistance. Sans quoi la vague peut se développer sans obstacles et risque finalement de tout emporter.

Nous sommes donc restés. Les mitraillettes ont été pointées sur nous à quelques reprises. Les coups de feu la nuit, les soldats armés jusqu'aux dents à chaque coin de rue. Les avions qui, pendant le couvre-feu, descendent en rase-mottes sur le quartier contribuent à maintenir bien vivante cette peur qui nous mine constamment. Mais on s'habitue: non qu'on oublie la peur, mais on la domine. Et malgré sa présence tenace, on agit. Oh, bien timidement dans les circonstances: aller réclamer des autorités que certains droits soient respectés. Porter au pays natal le témoignage de ce qu'on voit et tenter d'y secouer l'indifférence pour forcer le gouvernement canadien à adopter vis-à-vis des Chiliens écrasés une attitude plus conforme aux besoins et plus humaine. En aider quelques-uns, plus immédiatement menacés, à fuir en lieux sûrs. Et observer: pour mieux comprendre le fascisme et être en mesure d'en reconnaître assez tôt les germes; pour aussi bien apprendre la signification réelle de la démocratie, pour les classes possédantes.

C'est bien peu en comparaison des besoins, mais davantage mènerait à l'aventurisme. Et ce n'est pas ce dont ni le Chili ni le Québec ont besoin à l'heure actuelle.

À la fin de décembre, je me remettais lentement au travail; je lisais surtout, à l'époque. J'avais préparé la critique suivante d'un livre de Pierre Vadeboncœur pour *Québec médical*, dont j'ignorais toujours la disparition:

Notre monde est dirigé par des apprentis sorciers qui ont totalement perdu le contrôle des inventions humaines et qui paraissent devoir nous conduire infailliblement à la catastrophe. Les philosophes-écologistes — ceux qui dépassent le niveau des réponses technologiques aux problèmes provoqués par la prolifération de la technologie, ne faisant que reculer l'échéance ou déplacer dans d'autres domaines les problèmes — ces penseurs commencent à sonner l'alerte; mais qui prêtera l'oreille à ces prophètes de malheur qui prêchent l'anti-progrès ? Dans Indépendances, *Pierre Vadeboncœur se penche sur la question. Et il nous donne un peu d'espoir.*

D'abord, il y a le Québec. Qui mène, aux yeux de certains, un combat d'arrière-garde pour survivre en tant que groupuscule dans un monde de grands ensembles, de logique, de systèmes. C'est un peuple qui « n'a à peu près rien appris du conquérant, ni la démocratie, ni l'ordre, ni l'esprit d'efficacité, ni l'esprit civique, ni le flegme, ni la politesse des autres... » Le Québec est un accroc à l'ordre canadien et à la civilisation nord-américaine, il est une contestation d'un type d'organisation sociale qui promettant le bien-être général, n'a fourni que l'aliénation collective. Au Québec demeurent encore présentes des valeurs qui risquent de n'être bientôt qu'un souvenir ; et pourtant ce sont les valeurs les plus proprement et les plus profondément humaines.

Il y a aussi les jeunes : les nôtres, les Américains, les Européens... qui volontairement mettent de côté ces sociétés qui s'avèrent de plus en plus contraignantes. Leur apparente anarchie n'offre pas encore d'alternative, mais déjà il faut reconnaître la pertinence de leur contestation globale : les générations qui les ont précédés et engendrés ne peuvent montrer que de bien piètres réalisations, à la défense de leur « vérité » ; il n'y a pas à gratter beaucoup pour trouver les écrasés, les exploités, les nouveaux esclaves, les abrutis, les dégénérés. Tandis que la jeunesse est promesse ; et qu'elle ouvre de nouvelles voies, se détournant de cette société « et de tout ce dont elle est faite : valeurs, mode de vie, morale, devoirs, Églises, gouvernements, hiérarchies, structures, travail ». Tout cela n'est pas sans danger : mais ne vaut-il pas mieux risquer, avec ses alternatives de gagner ou de perdre, que s'abstenir et continuer à laisser immanquablement aliéner notre humanité ?

*Autre parcelle de cette définition de notre Nous collectif que Vadeboncœur a entreprise, celle-ci me semble particulièrement riche ; depuis longtemps nous nous sentons Québécois, ni Canadiens ni Français ; confusément nous percevons des différences avec les autres, mais rien de bien défini. Un livre comme celui-là pose des jalons intéressants dans l'étude de l'*homo quebecensis*; de plus, il renverse brillamment la catégorisation fonctionnaliste qui voudrait faire du Québec un pays attardé, en montrant son orientation prophétique.*

À la lecture de *L'homme ininterrompu*, de René Dubos, cette phrase m'avait frappé : « Vivre, c'est réagir et, de ce fait, mettre en action les mécanismes responsables de l'adaptation et de l'évolution créatrice » ; je notais alors :

Quand les structures sociales ont été modifiées de telle façon qu'elles ne servent plus les intérêts de la grande majorité, quand par conséquent cette majorité se sent écrasée par l'environnement qui est sa création, à ce moment il faut tout changer cela. Nous vivons dans de telles structures ; manquent une conscience assez répandue de leur inadéquacité et surtout la conscience de l'accessibilité des instruments pour opérer les modifications souhaitées. Car nos exploiteurs nous ont fait croire qu'ils étaient les seuls à pouvoir manipuler adéquatement tous les instruments de l'autodétermination ; et ils nous ont presque convaincus, ils ont réussi dans tellement de cas qu'ils continuent à maintenir leur domination. Mais on n'étouffe pas indéfiniment la vie et cette réaction dont parle Dubos est déjà en marche et vaincra nécessairement ; sinon, ce serait aller contre nature — ce qui est possible pour de courtes périodes, mais non à longue échéance. L'humanité est mûre pour une « adaptation et une évolution créatrice ».

Le 15 mars 1974, nous quittions le Chili pour aller nous installer en Équateur. J'avais repris mon travail sur les politiques de population et je trouverais à Quito une bonne bibliothèque qui me permettrait de compléter ma documentation. Nous laisserions finalement cette ville pour revenir au Québec à la mi-juin.

Je suis convaincu que mon séjour en Amérique latine m'a très fortement influencé. Je sais maintenant que nous, des pays industrialisés, sommes coupés du Tiers monde, qu'on nous entretient savamment dans un état de passivité totale vis-à-vis de conditions inacceptables faites à des millions d'êtres humains, qu'on fait tout pour nous dégager individuellement de la responsabilité du sous-développement. Il faut avoir vu pour comprendre ce que signifient les indices désincarnés comme le revenu per capita ou la ration protéinique quotidienne. J'ai vu, je me suis pénétré de ce que j'ai vu et jamais plus je n'oublierai. Mon séjour là-bas m'a irrémédiablement lancé dans la lutte contre le capitalisme, responsable de la permanence de l'inacceptable; mon bref contact avec le Chili d'Allende m'a permis de connaître un prolétariat qui commençait à vivre et m'a convaincu — malgré tous les défauts de l'Unité Populaire — de la nécessité du socialisme; mes six mois sous le régime Pinochet m'ont montré la détermination de la bourgeoisie à ne laisser aller aucun de ses privilèges, pour quelque considération que ce soit. Mes études à FLACSO m'ont enfin fourni, avec mes lectures nombreuses, des bases théoriques qui pourraient donner un cadre à mon cheminement.

CHAPITRE 6

LE C.L.S.C.

Je revenais au Québec sans avoir terminé mon étude sur les politiques de population. Mais j'avais recueilli toute la documentation dont j'avais besoin et il ne me restait plus qu'à achever la rédaction de ce travail. Compte tenu de mon hépatite et compte tenu des événements politiques survenus au Chili, le Centre de recherches pour le développement international avait accepté de renouveller ma bourse. Je disposais donc de quelques mois encore pour écrire, ce à quoi je m'employai.

Plus j'avançais dans mon travail, plus je sentais le besoin d'élargir la perspective sous laquelle j'abordais la question de la population; en cela, je réagissais sans doute aux si nombreuses vues réductionnistes que je rencontrais au fil de mes lectures. Je me retrouvais bientôt avec une « brique » de plus de cinq cents pages qui comprenait un examen sommaire de la situation actuelle dans les pays développés et dans le Tiers monde, au point de vue de la qualité de vie, une analyse des facteurs expliquant cette situation et une étude des mécanismes mis en place par les possédants pour que rien ne change;

la façon dont s'effectuent les relations internationales fait partie de ces moyens, et je me penchais tout spécialement sur toute la question du contrôle des naissances; enfin, puisque l'«ordre» international actuel est si peu acceptable, j'esquissais une ébauche de ce que pourrait être un avenir plus désirable.

J'ai remis mon travail au CRDI; on ne pouvait y être d'accord avec ma perspective globale et encore moins avec mon analyse des échanges internationaux et du rôle qu'y joue le «généreux» Canada; aussi n'a-t-on jamais répondu à mes demandes de publication. J'ai fait le tour des éditeurs susceptibles de publier un tel livre; partout on a refusé, à certains endroits à cause du nombre de pages du travail, ailleurs je ne sais pourquoi. J'avais écrit dans mon avant-propos des lignes qui s'avéraient encore plus vraies que j'aurais cru:

> *Pour ma part, je n'arrive pas à me résigner et à m'avouer impuissant; j'ai encore espoir qu'on puisse changer un monde que je trouve foncièrement injuste et j'espère en convaincre d'autres de la même idée. Je ne me fais pourtant pas d'illusions: ceux qui sont favorisés par l'organisation sociale actuelle disposent de moyens extrêmement puissants pour mystifier les situations et isoler les tentatives de conscientisation qui pourraient s'amorcer. Ce livre risque donc d'être ignoré par plusieurs — l'attaquer serait lui donner trop d'importance — car il faut l'avouer, il ne défend pas les thèses les plus courantes, celles qui visent au maintien d'un* statu quo *que je n'accepte pas.*

En décembre 1974, alors que j'en étais à terminer la rédaction de mon livre, quelques membres du Comité d'implantation du Centre local de services communautaires de St-Hubert (CLSC) me demandaient de venir leur prêter main-forte dans la mise sur pied du nouveau CLSC pour lequel ils avaient obtenu une subvention du ministère des Affaires sociales. Malgré les quelques réticences que je pouvais avoir vis-à-vis de la formule CLSC, je croyais qu'il s'agissait d'une entreprise valable qui offrait des perspectives intéressantes et j'acceptai l'invitation. Je participai à quelques petites tâches puis je remplaçai un des membres du Comité d'implantation qui démissionnait pour des raisons de santé.

Je m'étais impliqué en tant que bénévole; mais en janvier, on m'engagea comme consultant à mi-temps pour aider à la préparation des programmes en santé et en social. À cette époque, la Fédération des omnipraticiens du Québec faisait la guerre aux CLSC et incitait ses membres à refuser d'y travailler; malgré mes exhortations à faire la programmation en santé sans la présence de médecins, le Comité d'implantation avait mis de côté un montant d'argent pour engager un « expert-médecin » ; pour les rassurer, j'acceptai de remplir ce poste ; je croyais qu'il fallait retarder le plus possible l'engagement des médecins, de telle sorte que l'orientation du CLSC soit déjà prise *avant* leur arrivée et qu'ils soient engagés dans un cadre bien défini ; sinon, le risque était grand que grâce à leur pouvoir, ils influencent fortement l'orientation du CLSC, ce qui ne pourrait conduire qu'à la mise sur pied d'une polyclinique améliorée (et ce qui est effectivement arrivé dans plusieurs autres CLSC).

J'avais mis le petit orteil dans le CLSC ; le reste suivit bientôt. Je m'impliquais de plus en plus par mon travail au CLSC lui-même, mais aussi bénévolement au regroupement régional des CLSC et à la Fédération des CLSC, que nous mettions sur pied un peu plus tard.

Dès le début, j'avais été étonné par l'imprécision du projet CLSC, tant chez les bénévoles qui constituaient le Comité d'implantation que chez les quelques professionnels qu'ils avaient commencé à engager; tous ces gens étaient d'une bonne volonté évidente, mais ils ne savaient absolument pas où ils voulaient aller, qu'est-ce qu'on pouvait attendre d'un CLSC, comment cela pouvait fonctionner, etc. L'équipe travaillait ensemble depuis plus d'un an, mais ses membres n'avaient jamais clarifié leurs objectifs. Il semblait qu'il en était de même au niveau régional. Pour ma part, j'avais depuis longtemps réfléchi à toute cette question des soins de santé ; mes idées étaient bienvenues et elles tombaient en terrain fertile, car les diverses personnes impliquées — bénévoles et employés — s'intéressaient au CLSC parce qu'elles voulaient changer un système de soins qu'elles jugeaient inadéquat.

Si nous voulions réellement innover avec les CLSC, il me semblait particulièrement important d'y renforcer le pouvoir des usagers et des citoyens ; sans quoi les professionnels y prendraient le leadership et ils ne pourraient que reproduire ce qu'ils étaient habitués de faire ailleurs. Avec quelques autres usagers de divers CLSC, nous avons cherché des moyens concrets pour renforcer le pouvoir des usagers dans les services. L'un de ces moyens était de prendre le contrôle de la Fédération des CLSC, dont on annonçait la fondation. Nous avons étudié le projet de règlements provisoires qui nous était soumis et nous avons préparé diverses contre-propositions qui donnaient le contrôle de la Fédération aux usagers ; au congrès de fondation, toute la région Rive-sud de Montréal, à laquelle appartenait le CLSC St-Hubert, fit front commun et remporta l'appui de plusieurs autres délégués ; la nouvelle Fédération devenait un instrument des usagers.

Quant à mon travail de consultant au CLSC lui-même, j'avais la lourde responsabilité d'établir, à partir de l'enquête réalisée auprès de la population, une programmation réaliste dans les domaines de la santé et des services sociaux. Ne désirant pas jouer l'expert-qui-sait-tout, j'ai essayé de m'intégrer à l'équipe qu'on avait commencé à engager ; pour vraiment indiquer ma volonté d'être au même niveau que tous, j'ai demandé à ce que mon salaire soit égal à la moyenne des salaires des treize employés déjà en place. De plus, comme je ne travaillais qu'à mi-temps et que je devais mener de front deux programmations (santé et social), j'ai davantage conçu mon rôle comme celui d'un animateur que comme un concepteur.

En même temps que nos deux équipes travaillaient parallèlement et souvent conjointement aux programmations en santé et en social, deux autres équipes faisaient de même en communautaire et pour l'accueil. Curieusement, il n'y avait aucun lien qui s'établissait entre les programmations en santé et en social et les deux autres. Très bientôt, je devais découvrir que dès le départ, des conflits avaient polarisé les employés et qu'il n'existait pratiquement plus de communications entre les deux pôles. Le directeur général penchait clairement du côté des intervenants du pôle accueil-communautaire. Ma double situation d'employé et de membre du conseil d'administration me permit de faire éclater le conflit, ce qui amena le conseil d'administration à décider de congédier le directeur général. Quelques employés quittèrent aussi le CLSC. J'acceptai, toujours au même salaire et à mi-temps, d'assurer l'interim pendant quelques mois, pour tenter d'arriver à établir un programme intégré et commencer à donner des services au plus tôt.

Quelques mois plus tard, le CLSC St-Hubert ouvrait officiellement ses portes à la population ; ses objectifs étaient les suivants :

> *Le CLSC St-Hubert veut aider les citoyens à se libérer de la maladie, de l'exploitation et des contraintes financières ;*
>
> se libérer : *nous n'entendons pas mener les actions* pour *les gens, à leur place, mais* avec *eux ; et nous ne voulons pas tout simplement remplacer leur dépendance vis-à-vis des services actuels par une dépendance vis-à-vis de nouveaux services plus près d'eux, mais nous voulons vraiment redonner à la population la conduite de son action ;*
> la maladie : *nous entendons d'abord aider les gens à affronter les conséquences de la perte de leur santé tant physique que mentale en les assistant dans les soins de première ligne, puis en les orientant vers des mesures de prévention ;*
> l'exploitation : *conscients des disparités sociales qui caractérisent notre société, nous ne voulons pas nous contenter de tout simplement rendre tolérables ces disparités et d'ainsi endormir les gens, mais nous cherchons à découvrir les véritables causes de cet état de choses et travaillons à les éliminer ;*
> les contraintes financières : *tenant compte du type de population, en grande majorité ouvrière, qui vit sur notre territoire, nous destinons nos services d'abord et avant tout à ceux qui sont dans le plus grand besoin.*

Nous avions finalement réussi à réparer les brèches et à reconstituer une équipe qui semblait bien décidée à fournir à la population de St-Hubert un instrument qui lui permette de se prendre en main. Mais des intentions aux réalités, il y a loin; le défi pour concrétiser les objectifs du CLSC était énorme.

Le poste de directeur général du CLSC était stratégiquement important, pour la réalisation des objectifs du CLSC; par contre, je ne voulais pas me mettre dans une situation d'autorité qui m'empêcherait de former équipe avec les autres employés. J'eus de longues hésitations et consultai mes consœurs et confrères de travail. Je cherchais le moyen d'exercer la fonction davantage en tant qu'animateur que comme directeur; les autres employés me firent savoir qu'un directeur était toujours un directeur, que le CLSC était une structure créée par le gouvernement et que les modifications que je voulais apporter dans le style de direction risquaient d'être éphémères et de ne durer que le temps de ma présence, mais qu'on pouvait aussi être un bon directeur. Par ailleurs, mon implication croissante à la Fédération des CLSC m'avait mis en contact avec d'autres directeurs généraux qui avaient à peu près le même projet que moi et qui analysaient la situation dans les mêmes termes. Nous croyions que l'idée de donner à la population des centres locaux de services communautaires était excellente, mais que les structures légales ne garantissaient absolument pas la réalisation de cet objectif; dans les circonstances, le poste de directeur général, charnière entre les employés et les membres du conseil d'administration (majoritairement formé de représentants de la population), devenait de première importance. Certes les CLSC ne pouvaient aller très loin dans l'action socio-politique car ils en arrivaient très tôt à remettre en question les structures de la société actuelle et les orientations gouvernementales, ce qui amènerait le gouvernement ou à contrôler de plus près leur action ou à cesser de leur donner des fonds; mais si on pouvait créer plusieurs CLSC «d'avant-garde», il serait d'autant plus difficile de mettre fin à l'expérience; d'autant plus que les diverses actions qui auraient été menées ne pourraient manquer d'avoir des effets, tout au moins chez les citoyens eux-mêmes qui se seraient impliqués et qui ne pourraient manquer d'accroître leur niveau de conscience et leur détermination à opérer les changements qui s'imposent dans la société.

Le jour de la clôture du concours pour le poste de directeur général, je décidai finalement de faire le saut; je croyais que mon expérience au Centre de planning familial me servirait et que je réussirais à éviter les conflits direction-employés. Je fis donc application, en espérant que le conseil d'administration du CLSC juge ma candidature au mérite, sans se laisser influencer par le ministère des Affaires sociales qui se permettait fréquemment d'intervenir de tout son poids pour que les conseils d'administration engagent de « bons » directeurs généraux; et je savais que justement, j'étais loin d'être considéré comme très désirable par les hauts fonctionnaires du ministère. Mais le conseil d'administration du CLSC St-Hubert avait déjà montré son indépendance face au ministère et dans la question du choix du directeur général, il ne laissa aucune prise au tripotage. Le 11 septembre, j'étais engagé comme directeur général du CLSC St-Hubert.

En octobre 1975, j'étais invité à participer à une table-ronde organisée dans le cadre du congrès de la Fédération des CLSC du Québec; il s'agissait de tenter d'identifier quelles actions seraient les plus pertinentes pour améliorer la santé des Québécois. J'ai alors tenu le discours suivant:

> *Les médecins ne sont pas préparés pour travailler à l'amélioration de la santé, mais pour lutter contre la maladie. On peut en effet se demander ce qu'ils ont fait pour la santé ou même quels gestes ils ont posés pour empêcher la maladie, à part leur rôle pour conjurer les épidémies. Qu'ont-ils fait pour l'alimentation, pour l'exercice physique, pour l'hygiène mentale? Et le pire, c'est que même dans leur lutte contre la maladie, ils travaillent souvent mal: ils posent de mauvais diagnostics, ils surutilisent les médicaments, ils fractionnent, par leur spécialisation, l'être humain en organes cloisonnés. Plusieurs personnes, même à l'intérieur de la profession médicale, reconnaissent ces tares et tentent d'y remédier, en particulier en améliorant la formation dispensée aux étudiants en médecine; ils voudraient que les médecins deviennent des sociologues-organisateurs communautaires-travailleurs sociaux-psychologues, etc. Je crois qu'il s'agit là d'une fausse voie. Car même si les*

*médecins soignaient bien, ils n'en demeureraient pas moins des instruments d'intégration ; ils permettent en effet aux gens de s'adapter à des situations souvent inacceptables, s'avérant ainsi très démobilisateurs ; ils ont une approche individuelle (*un *professionnel qui rencontre* un *patient), alors que les problèmes sont souvent collectifs ; enfin, ils ont une approche autoritaire et catégorique qui certes rehausse l'effet thérapeutique des médicaments qu'ils utilisent, mais qui maintient la dépendance et la passivité. Or la santé exige souvent des modifications dans nos vies, ce qui ne peut se faire sans un engagement profond des individus. De plus, la santé dépend beaucoup moins des individus que des divers déterminants sociaux comme les sources de stress, la pollution, les occasions d'accidents, etc. On essaie de nous faire croire le contraire en nous disant que c'est de notre faute si nous sommes malades ; les médecins et les autres professionnels des services de santé avalisent cette propagande et aident les individus à accepter les situations qui ne devraient pas être tolérées. Ce qu'il faudrait, ce serait de travailler sur les déterminants sociaux. Dans ce domaine, les professionnels seuls, même quand ils travaillent en équipe multidisciplinaire, ne sont pas capables d'obtenir des résultats appréciables ; ils doivent être connectés à la communauté et aux mouvements qui peuvent y amener des changements — les syndicats, les groupes de pression, les partis politiques. Il me semble que les professionnels devraient aider à découvrir les problèmes et à en identifier les causes, mais que ce devraient être les intéressés, i.e. la population, qui déterminent les directions d'action et qui les contrôlent. En ce sens, la formule des CLSC me paraît fort intéressante car elle me semble permettre cela.*

Tout en travaillant à la promotion des CLSC, je ne me faisais pas d'illusions. J'écrivais, à l'époque :

Dès le départ, les CLSC sont nés sous le signe de l'ambiguïté ; ils ont en effet été créés par le gouvernement, mais à l'image des cliniques populaires qui contestent nombre de décisions et d'orientations de ce gouvernement. Ainsi donc, les CLSC ont été donnés à la population, mais déjà le gouvernement tente de les reprendre morceau par morceau, grâce à des directives de plus en plus précises, à des modifications à la loi, à des contrôles budgétaires sévères. Cependant, les CLSC présentent encore un potentiel énorme : ils peuvent en effet devenir d'importants instruments de changement au lieu de se transformer en ces instruments de préservation du statu quo que le gouvernement désire ; car les CLSC pourraient n'être qu'illusions de participation, moyens d'occuper et de contrôler les citoyens les plus actifs ou manières de rendre plus endurables des situations inacceptables. Pour arriver aux nombreux changements souhaitables dans notre société, les CLSC qui en tant qu'organismes gouvernementaux ne peuvent être eux-mêmes les instruments de ce changement devraient tenter de fournir aux forces vives du Québec les moyens de réclamer et d'opérer ces changements ; les CLSC devraient donc prendre un net parti pris pour les travailleurs car ce sont eux qui ont intérêt aux changements souhaitables et ce sont eux qui le plus souvent sont engagés dans les divers processus qui devraient amener ces changements.

Les actions à entreprendre sont urgentes : nous sommes un peuple menacé d'extinction et il faut agir vite pendant qu'il est encore temps, en particulier pendant que la structure démographique de notre société est encore favorable aux changements, les jeunes y constituant un bloc important. Dans le cas des CLSC, il est d'autant plus urgent d'agir qu'il me semble que les deux prochaines années devraient être décisives, dans leur orientation ; après, les chances sont grandes que la formule « CLSC » sera cristallisée et qu'il ne sera alors plus possible d'en modifier sensiblement l'orientation. Il s'agirait donc, pendant qu'il est encore temps, d'aller le plus loin possible avec le plus grand nombre de CLSC.

J'étais alors très engagé dans le « comité santé » de la Fédération. Une de nos préoccupations était d'aider les CLSC à trouver les médecins dont ils avaient besoin. Car d'une part la Fédération des omnipraticiens du Québec avait décrété un boycottage des CLSC, ce qui faisait que très peu de médecins se présentaient pour occuper les divers postes ouverts dans les CLSC ; d'autre part, les rares qui osaient briser la consigne étaient loin d'être prêts au type de pratique attendu d'eux. Nous avons donc entrepris diverses démarches pour tenter d'amener les universités à mieux préparer les médecins et nous avons essayé d'« apprivoiser » la FMOQ. C'est à cette époque que j'ai publié l'article suivant dans *Le Jour* :

La Fédération des médecins omnipraticiens du Québec (FMOQ) négocie avec le ministère des Affaires sociales de nouvelles conditions pour ses membres (près de 4 000 médecins). La cinquantaine de médecins employés dans les Centres locaux de services communautaires (CLSC) font partie de la FMOQ; leurs conditions de travail sont donc également objet de négociations. À quelques reprises déjà, la FMOQ a souligné l'importance d'un des enjeux de cette négociation, soit la question de la santé communautaire. Sans entrer dans le détail de la négociation, j'aimerais livrer ici quelques éléments de réflexion sur la signification éventuelle, pour la profession médicale, de sa participation à l'approche nouvelle telle qu'amorcée dans les CLSC.

Dans son bureau, le médecin qui reçoit un client a tendance à réduire chaque problème à des dimensions traitables; bien souvent il a conscience qu'il existe des relations entre le milieu de travail ou la famille ou la communauté et le problème individuel qui lui est soumis, mais il n'a ni le temps ni les moyens de s'attarder et il cristallise bientôt dans un diagnostic physique ou psychologique clair les symptômes qui lui sont présentés. Son client devient un malade *pour lequel les règles de l'art indiquent une panoplie plus ou moins étendue de thérapeutiques, la plupart sous contrôle médical.*

Au CLSC, l'équipe multidisciplinaire dont fait partie le médecin réfléchit constamment sur l'impact des divers facteurs qui influent sur l'individu; comme l'équipe dispose d'instruments variés pour agir, elle a tendance à pousser davantage l'analyse de chaque cas, au risque d'aboutir à des diagnostics complexes qui requièrent des actions à divers niveaux. Dans ce contexte, les maladies, quand on leur identifie des origines infectueuses, héréditaires ou nutritionnelles, continuent à recevoir les soins que la science médicale a codifiés, mais en même temps on essaie d'en mieux comprendre l'origine et surtout on n'insiste pas pour mettre dans un cadre accessible à une thérapie médicale des conditions directement sociales ou psychologiques. C'est aussi dans un tel cadre que l'action préventive peut prendre un sens véritable: le geste individuel, cas à cas, peut être efficace dans certaines conditions pathologiques, mais ce n'est que très rarement qu'il peut exercer une influence quelconque pour la prévention primaire, c'est-à-dire celle qui tente d'empêcher l'éclosion des maladies.

Le médecin qui travaille au sein de l'équipe du CLSC découvre donc rapidement l'importance respective des multiples facteurs à l'origine de tout dysfonctionnement; en même temps, il doit faire l'apprentissage de l'approche multidisciplinaire qui permettra d'influer sur l'ensemble des facteurs en cause. Et bientôt, il devra aller plus loin encore et constater que dans l'équipe, il n'est pas toujours celui qui contrôle les moyens les plus efficaces pour lutter contre la maladie; nombre de facteurs échappent en effet à son approche professionnelle et au traitement cas à cas: la pollution, les cadences de travail, l'isolement pour n'en nommer que quelques-uns; et ces facteurs prennent une importance croissante dans les maladies de la civilisation, qui deviennent chaque jour plus fréquentes.

En plus de décloisonner les professionnels, le CLSC introduit aussi un nouveau membre dans l'équipe: l'usager. Que leur rôle se situe au niveau du conseil d'administration, dans un comité de programmation ou d'usagers ou même en temps que permanents engagés à un titre ou à l'autre, les citoyens du quartier exercent une influence prédominante sur l'orientation des CLSC: on réunirait en effet les mêmes professionnels dans un autre contexte et les résultats seraient certainement différents de ce qu'on trouve dans les CLSC.

Les citoyens ne sont pas des experts de la lutte à la maladie; bien souvent, s'ils participent à la vie du CLSC, c'est qu'ils voudraient trouver les moyens de garder leur santé. Mais comme les médecins ont été formés pour lutter contre la maladie, ils doivent bientôt avouer qu'ils en connaissent fort peu sur la santé; leur pratique devra s'en modifier considérablement, ils devront presque se réorienter pour être en mesure d'aider les gens à mieux manger, à se tenir en forme, à être plus beaux, à savoir affronter un environnement hostile, etc. De la lutte contre la maladie, il faut passer au combat pour la santé; c'est un grand pas à faire.

Les médecins qui deviennent des salariés, qui mettent de côté leur langage hermétique pour expliquer, qui acceptent de ne pas assumer automatiquement le leadership ne sont plus les sorciers qui utilisent leur magie pour guérir. En même temps qu'ils redeviennent des humains comme les autres, ils doivent accepter, comme les autres professionnels, le contrôle de leur pratique. Ils seront donc *évalués périodiquement, se feront reprocher certains de leurs gestes et devront accepter de bonne grâce de suivre un perfectionnement continu.*

Les CLSC font partie du réseau public. Ils échappent donc à la logique du profit pour tomber sous le coup de la rationalité (sans pour autant devenir bureaucratiques). Le réseau public doit voir à ce que l'ensemble du territoire soit desservi. En régime de libre entreprise, les médecins se concentrent dans les centres urbains. Les CLSC devraient permettre de rendre accessibles les soins médicaux de première ligne à tous les Québécois : si les médecins ne répondent pas en nombre suffisant à l'appel qui leur est lancé de combler les postes ouverts dans les CLSC, le gouvernement devra se tourner vers des mesures plus coercitives. Pour l'instant, il se contente d'essayer de rendre plus attrayante la pratique en CLSC en offrant des hausses considérables de salaires (34% par rapport à 10% pour les médecins à l'acte), mais si la réponse n'est pas satisfaisante, il pourrait fort bien en arriver à obliger tous les finissants en médecine à une sorte de service civil d'un an dans un endroit choisi par le gouvernement ou à une autre mesure du genre.

La pratique de la médecine en CLSC touche peu de médecins pour l'instant. Il est cependant important de noter que le réseau des CLSC s'étend rapidement et que d'ici à quelques années, on devrait en trouver quelque 225 sur le territoire québécois.

La pratique en CLSC amorce la fin de la médecine libérale et par le fait même la fin d'un monopole odieux, celui du contrôle de la maladie. Les médecins, traditionnellement accolés à la classe dominante avec laquelle ils partagent maints privilèges, deviennent des salariés dont les intérêts se rapprochent toujours plus de ceux des travailleurs ; peut-être ainsi mettront-ils enfin leurs connaissances au service de la majorité de sorte que nous ayons un peuple en santé.

Une autre facette du travail du « comité santé » était d'amener les CLSC à clarifier leur approche de la santé ; nous avons organisé une rencontre à l'intention de tous ceux qui étaient intéressés à mettre en commun leurs expériences et leurs idées sur le sujet ; une dizaine de personnes se sont présentées, venant des quatre coins du

Québec. Ensemble, nous avons travaillé quelques mois puis avons décidé de publier le résultat de nos travaux dans ce qui devait devenir la revue *CLSC Santé.* Dans le premier numéro, j'écrivais ce texte sur les moyens d'action qui pourraient être pris par les CLSC :

L'expérience et la réflexion que les CLSC ont déjà accumulées suggèrent un certain nombre de moyens à exploiter et à explorer :

A) Pour sensibiliser les usagers et les conscientiser

1) il faut démystifier la santé *et faire en sorte que les usagers acquièrent le plus de connaissances possible sur le corps, son fonctionnement, ce qu'est la santé... Le développement de l'appareil de service curatif a favorisé l'apparition d'un réflexe de démission chez les usagers qui ont pris souvent l'habitude de se tourner vers le professionnel dès qu'ils ont le sentiment que quelque chose ne va pas. Face à cette situation, il faut favoriser entre autres :*
— la diffusion à l'usager de toute l'information possible sur sa condition (utilisation de planches anatomiques murales, pamphlets, ...);
— la diffusion des informations relatives à l'état de santé de la population et sur ses causes ;
— la diffusion à la population des renseignements relatifs aux grandes questions qui sont débattues en santé (réorganisation des services, ...) ou encore sur les sujets d'intérêt général comme les intérêts impliqués dans certains secteurs (les trusts du médicament par exemple...).

2) il faut favoriser la formation de l'esprit critique *de l'usager afin qu'il puisse porter un meilleur jugement sur son propre état et sur les moyens qu'on met à sa disposition pour le restaurer. Par exemple, les moyens suivants pourraient s'avérer aptes dans une certaine mesure à favoriser le développement de l'autonomie des usagers :*
— l'explication du plan d'investigation, du diagnostic et du traitement (mode d'action, posologie, complications possibles, chances de succès) ;
— la vulgarisation des recherches ou des réflexions importantes sur la santé ainsi que leur discussion ;
— l'information critique sur les examens préventifs...

3) il faut favoriser la lutte contre la surconsommation *chez les usagers des médicaments et des différents services, ce qui suppose chez les professionnels une prise de conscience aiguë des dangers de surconsommation qu'eux-mêmes favorisent (consultations, analyses, traitements...).*

B) Pour redonner aux usagers un rôle central et favoriser leur mobilisation, donc leur motivation et leur volonté de prise en charge,

1) *il faut* favoriser la participation aux activités de santé du CLSC, *afin que les changements ne viennent pas seulement des professionnels mais que les usagers puissent s'y impliquer en fonction de leurs intérêts propres, ce qui peut se faire soit par l'inclusion dans les équipes de permanents non professionnels, soit en développant des comités de consultation ou de programmation (pour évaluer l'orientation et l'impact des actions en santé) ou encore en favorisant le développement de comités sur des sujets spécifiques (médicaments, sécurité routière, ...)*
2) *il faut* favoriser l'autonomie concrète *des usagers, soit en développant des moyens d'auto-évaluation qui permettent de distinguer les signaux de danger dans le cas de certaines maladies spécifiques, soit en instaurant les programmes d'évaluation avec facteurs de risque et recommandations (genre « bodycheck », physitest, ...);*
3) *il faut* favoriser la collaboration avec les organismes du milieu *qui jouent un rôle en santé et ceci en sauvegardant l'autonomie de ces groupes et leur originalité.*

C) Pour mieux instrumenter les usagers afin qu'ils puissent se réapproprier leur santé, comme individus et comme groupes,

1) *il faut* redonner à l'usager un rôle actif *dans le processus thérapeutique, soit par exemple en favorisant l'accès au dossier en présence du thérapeute principal, en incluant l'usager dans son plan de thérapie, en instaurant un carnet de santé élargi (où seraient inclus les diagnostics, les examens faits et les traitements), la distribution de feuilles explicatives, les cours, les chroniques d'information...;*
2) *il faut* favoriser l'apprentissage des techniques du fonctionnement en groupe *qui permettront à l'occasion de*

problèmes communs de développer les moyens nécessaires pour influencer la prise de décision et d'initier éventuellement les cheminements collectifs nécessaires.

En même temps que je trouvais dans divers CLSC de plus en plus de gens qui partageaient mes idées, la situation au CLSC St-Hubert devenait plus pénible. Alors que j'étais au conseil d'administration, j'avais aidé à ce que les employés se syndiquent au plus tôt ; en tant que directeur général, j'essayais, avec le conseil d'administration, de fournir les meilleures conditions possibles aux employés, car nous voulions qu'à ce point de vue le CLSC puisse prêcher par l'exemple. Mais certains employés n'appréciaient pas ce « paternalisme » et souhaitaient que se développe le syndicalisme de classe traditionnel ; aussi faisaient-ils tout en leur pouvoir pour susciter des conflits et gâter le climat de travail. Dans leur optique, il ne fallait absolument pas qu'il puisse y avoir de collaboration avec la direction.

En octobre 1976, je distribuais à tous les employés du CLSC la lettre suivante, dont j'envoyais copie aux membres du conseil d'administration :

AUX TRAVAILLEURS DU CLSC ST-HUBERT,

Je vous envoie ces quelques mots parce qu'il me semble que nous arrivons à un point tournant de l'histoire du CLSC, et je me demande si tous en sont bien conscients. Bien que certains veuillent à tout prix faire un « boss » de moi, ce n'est pas le rôle que je me suis donné dans la boîte. J'ai pénétré dans le CLSC à l'occasion d'un conflit qui menaçait de faire dévier le CLSC de ce qu'il pouvait devenir, c'est-à-dire un instrument efficace pour la promotion des intérêts de la classe ouvrière ; nous avons alors réussi à conjurer le danger, mais il me semble qu'aujourd'hui, nous soyons devant le même type de danger.

En termes de lutte de classes, la situation au CLSC est la suivante : d'un côté nous avons les travailleurs et de l'autre l'employeur. Au CLSC, l'employeur véritable, celui qui possède le pouvoir d'accorder les budgets, de négocier les conditions salariales et les bénéfices marginaux, c'est le ministère des Affaires sociales. Le conseil d'administration du CLSC St-Hubert et le directeur général qu'il a engagé essaient de se débrouiller avec ce que le MAS accorde et tentent de dévier en faveur des travailleurs un instrument destiné à les maintenir dans le système actuel. Il faut bien comprendre que ce qui se passe ici n'est pas la règle générale dans les CLSC — il faut voir dans plusieurs CLSC quelles conditions on fait aux travailleurs —; et même plus, il est bien évident qu'il n'y a aucune garantie qu'il en soit toujours ainsi. Mais actuellement, *le conseil d'administration est majoritairement pro-ouvrier et pro-syndical; la volonté de contrôle qui s'y manifeste parfois (bilans, ...) découle d'une volonté d'une plus grande efficacité de ressources tout de même considérables. Dans ce contexte, je m'interroge sérieusement sur l'opportunité d'une stratégie syndicale qui fait une application stricte du modèle syndical traditionnel développé pour lutter dans l'industrie privée et qui associe toute décision à une figure patronale; la logique de cette attitude porte à refuser de participer à la gestion (c'est-à-dire à prendre des décisions) et conduit à forcer le conseil d'administration à imposer des décisions auxquelles on pourra s'opposer; le CA et le directeur général deviendront donc ainsi des « boss ».*

Jusqu'à ce jour, le CA a résisté à la provocation mais il n'est pas sûr qu'il résiste indéfiniment. Le conflit actuel pourrait être le commencement d'une spirale sans fin... Il m'apparaît que les usagers du CA prennent comme une gifle l'attitude du syndicat; ils comprennent fort bien qu'on les apprécie tant qu'ils font des cadeaux, négocient de bons bénéfices marginaux, mais quand ils s'avisent de la moindre critique et surtout quand ils veulent se joindre à l'équipe, même s'ils sont d'authentiques représentants de la classe ouvrière, à ce moment on les traite comme des pestiférés et on met en marche un train de mesures disproportionnées.

On le voit, la spirale provocation-répression peut débuter facilement. D'autant plus que nombre de membres du CA se posent plusieurs questions sur le CLSC; au-delà des paroles, qu'est-ce que le CLSC a réellement fait pour la classe ouvrière, compte tenu des moyens dont nous disposions? Ne se passe-t-il pas énormément de temps à organiser des combats qui ne sont pas ceux à mener? À trouver des raisons pour lesquelles il ne faut pas faire telle ou telle chose, mais sans jamais proposer d'autres actions?

Le CLSC est un instrument du gouvernement essentiellement orienté vers la préservation du statu quo*; temporairement on peut le dévier de sa fin, mais à la condition qu'on présente un front commun face au véritable patron, le gouvernement. C'est ce qu'on a pas mal réussi à ce jour, et c'est ce qui a permis qu'on se tienne debout devant le gouvernement, qui ne manquera certainement pas l'occasion d'intervenir si on lui en fournit la chance, en particulier en développant des conflits internes; dans d'autres CLSC, c'est exactement ce qui s'est passé déjà.*

J'ignore l'attitude qu'adoptera le CA; personnellement j'ai accepté de travailler avec des travailleurs dans une structure qui permettait d'envisager des actions de conscientisation et de mobilisation des travailleurs; si on tombait dans la spirale décrite ci-haut, je ne marcherais plus. Je n'ai absolument pas l'intention d'agir contre *les travailleurs, même si je suis convaincu qu'ils prennent de mauvaises décisions; je ne crois pas en effet que la «ligne juste» s'impose de force et je ne voudrais surtout pas consacrer mes énergies à des luttes intestines entre personnes qui cherchent toutes à promouvoir les intérêts de la classe ouvrière; déjà j'y consacre malheureusement trop de temps. Je trouverais dommage de quitter, à cause d'une déviation gauchiste, une équipe que j'estime et un cadre de travail offrant autant de possibilités, mais c'est la construction du socialisme qui m'intéresse et non les querelles stériles qui finalement privent la classe ouvrière d'instruments précieux. Par ce texte, j'espère amorcer une réflexion profonde avant qu'il ne soit trop tard, j'espère qu'on n'y cherchera pas les «puces» et les schismes, perdant de vue l'essentiel qui est l'avenir du CLSC.*

Suite à cette lettre, rien ne bougea. Le mois suivant, devant les membres du conseil d'administration, je terminais ainsi le bilan de ma première année comme directeur général:

Au bout du compte, c'est donc loin d'être un succès; une fois encore, j'ai été trop idéaliste; j'ai voulu jouer un rôle d'animateur qui facilite l'épanouissement de chacun, alors que c'est d'un père castrateur et punitif que plusieurs avaient besoin. Aussi dois-je remettre en question ma présence au CLSC. Il est très clair que si je m'en vais, cela fera grand plaisir aux quelques-uns qui souhaitent voir se développer au CLSC un modèle de relations de travail du type traditionnel — répressif ; cela plaira aussi beaucoup aux autres qui n'ont jamais pu accepter mon leadership idéologique alors qu'on devait constater leur impuissance à faire quoi que ce soit de positif ; enfin, cela fera l'affaire du gouvernement et de plusieurs autres directions de CLSC qui trouvent que le CLSC St-Hubert est beaucoup trop à gauche et donne le mauvais exemple. Mais une fois encore, je n'ai pas l'intention de me laisser embarquer dans des querelles que je considère futiles et orientées vers de faux problèmes ; je crois qu'on a déjà beaucoup trop niaisé et qu'il est grandement temps de mettre un terme à un gaspillage qui devient éhonté : derrière des supposés grands principes, on masque beaucoup de paresse et surtout d'incapacité à mener des actions efficaces. Si pour ce faire, il devient nécessaire de disposer d'une direction ferme, efficace et contrôlante, je ne me sens ni le goût ni la capacité pour cette tâche ; en effet, je continue à vouloir jouer un rôle d'animateur au sein de l'équipe. En conséquence, pour permettre au conseil d'administration de choisir en pleine liberté le type de direction adapté aux circonstances, j'offre ma démission comme directeur général.

Le conseil d'administration s'est dit d'accord avec mon évaluation ; il m'a cependant demandé de demeurer en poste et a décidé de me fournir des assistants : j'étais en effet le seul employé non syndiqué dans un organisme de plus de quarante employés. Par la suite, nous avons engagé quelques coordonnateurs, ce qui m'a permis de partager les responsabilités puisque nous avons instauré un système de direction collégiale. La situation s'est quelque peu améliorée au CLSC, mais jamais nous n'avons retrouvé le climat du début.

CHAPITRE 7

LES ÉTUDIANTS EN MÉDECINE

Au retour du Chili, j'avais l'intention de travailler dans le domaine de la santé. Pendant que j'en étais encore à la rédaction de ma recherche sur les politiques de population, j'ai entrepris quelques démarches pour solliciter un poste à la faculté de médecine de l'Université de Montréal. Un département de médecine sociale et préventive venait d'y être ouvert et je me disais que cela pourrait être un excellent endroit pour tenter d'arriver à changer la pratique de la médecine. Les jeunes étudiants n'ont pas encore été déformés par tout le milieu médical et peut-être seraient-ils plus réceptifs à mes idées. J'ai pris rendez-vous avec le directeur du nouveau département; il m'a fort poliment expliqué qu'il n'avait pas les budgets nécessaires à l'engagement de nouveau personnel, pas même pour le demi-temps que je sollicitais. Quand quelques semaines plus tard j'ai appris qu'un des professeurs s'en allait et que le département cherchait à le remplacer, j'ai compris que la question des budgets n'était qu'un prétexte. J'aurais d'ailleurs dû me douter que mes idées ne pouvaient qu'effrayer les conformistes professeurs de la faculté...

À l'automne '75, le responsable du cours intitulé « le système de santé au Québec » me demanda d'animer un séminaire d'une dizaine de semaines sur les pratiques marginales (chiropraxie, naturopathie, etc.). Les élèves de la classe de deuxième année de médecine étaient invités à choisir parmi une douzaine de sujets et d'animateurs et les groupes ainsi formés se rencontraient pendant un trimestre. J'ai accepté. La douzaine de jeunes avec lesquels j'ai travaillé m'a émerveillé ; ils n'ont pas ménagé leurs efforts pour aller explorer les méthodes « parallèles » de soins et ils ont toujours manifesté une ouverture d'esprit fantastique. Notre rencontre hebdomadaire était vraiment un événement rafraîchissant ; nous nous y sommes consacrés à une critique lucide du système de santé. Il nous est vite devenu évident que si les diverses médecines parallèles réussissaient à attirer une clientèle croissante, c'était parce que la médecine « officielle » était de plus en plus déficiente, malgré et peut-être à cause de sa « technologisation ».

J'aimais ces jeunes frais émoulus du CÉGEP ; ils me semblaient tellement différents de ces étudiants en médecine que j'avais connus et qui étaient issus des collèges classiques. Ma sympathie devait être évidente, puisque le groupe d'étudiants qui s'occupait de publier le journal des étudiants en médecine me demanda de me joindre à l'équipe de rédaction. J'acceptai et commençai à assister aux réunions de l'équipe à l'été 1976. Je dus vite revenir sur terre : les étudiants que j'avais tant appréciés étaient marginaux et c'était justement la préoccupation de l'équipe de rédaction de *Médi-us* de trouver les moyens d'élargir les horizons de l'immense majorité de ces étudiants obsédés par leur volonté de réussir et déjà obnubilés par le prestige de la profession qu'ils exerceraient. « Qui se ressemble s'assemble », note le dicton ; les étudiants qui m'avaient choisi ne pensaient pas comme les autres...

Je me suis vite intégré à l'équipe, qui comprenait des étudiants de différents niveaux. J'ai pu constater que le cours de médecine ne changeait pas ; qu'on continuait à y assommer les étudiants de notions encyclopédiques que vite ils se dépêcheraient d'oublier, que le volume de travail exigé était tel que les étudiants se cloîtraient presque pendant ces années et qu'ils perdaient conscience de ce qui se passait autour d'eux, que les contacts avec l'hôpital continuaient à perpétuer la hiérarchie propre au milieu médical. Ensemble, nous avons travaillé à interroger, à interpeller, à réfléchir et à faire réfléchir. Dans la livraison de l'automne '76, j'écrivais l'article suivant :

LE RÔLE DU MÉDECIN DANS LA SANTÉ

La médecine est une profession dite libérale, c'est-à-dire que ceux qui l'exercent disposent de la plus grande latitude quant à leur façon de procéder. Mais à l'examen, ce « libéralisme » est un anachronisme car aujourd'hui la pratique de la médecine ne se conçoit plus sans le support d'un appareillage considérable (radiologie, laboratoire, ...), de spécialistes multiples et même de disciplines connexes de plus en plus nombreuses ; il faut également noter le fait que l'État intervient d'une façon de plus en plus marquée dans la dispensation des soins, contrôlant bon nombre de lieux de pratique ainsi que la rémunération de la plupart des dispensateurs de soins. Ce qui fait que le médecin, qu'il le veuille ou non, devient partie intégrante d'un appareil de santé fort complexe. Cet appareil, dans un système capitaliste comme celui que nous avons au Québec, a des finalités bien définies que le médecin, qu'il le veuille ou non, aide à atteindre.

(...)

Les médecins ne sont pas de machiavéliques complices d'un système fondé sur l'exploitation de la majorité au profit d'une minorité. Pour la plupart, ils se sont engagés dans leur profession par souci humanitaire véritable ou tout simplement pour gagner honorablement leur vie grâce à une activité qui les intéressait. Mais leur perception subjective importe peu : c'est leur rôle objectif, celui qu'ils jouent dans les faits qu'il faut examiner. Et ils sont d'efficaces instruments de l'appareil de santé, d'autant plus efficaces en fait qu'ils sont davantage dévoués et qu'ils essaient de soulager cette misère humaine sans s'interroger et surtout permettre à leurs patients de s'interroger sur l'origine des troubles présentés.

On ne peut reprocher la mauvaise foi à un grand nombre de médecins ; leur inconscience étonne cependant. Par ailleurs, on ne peut parler de la même innocence du corps médical en tant que collectivité. Comme groupe, les médecins reçoivent la reconnaissance concrète de la minorité dominante et ils participent à leurs privilèges en recevant des revenus bien au-delà de la moyenne ; dès qu'on veut toucher à ces revenus, la mobilisation des associations médicales est intense. De même on se défend de toute « atteinte à la liberté de pratique » ; les organismes progressistes qui pourraient conduire à une remise en question de l'approche individuelle sont boycottés, comme on le voit actuellement pour les CLSC. La corporation voit au contingentement des membres de la profession et en collaboration avec les universités, au maintien de l'élitisme dans l'accès à la profession. Tout cela faisant que l'inconscience de la grande majorité des médecins persiste.

Les médecins ne peuvent continuer à servir aveuglément un système de santé qui agit au détriment des intérêts véritables de la majorité de la population. Ils ne doivent plus se leurrer en disant qu'ils ne posent pas des gestes idéologiquement orientés mais qu'ils se situent sur le terrain neutre du concret ; quoi qu'on dise, il n'existe pas de gestes idéologiquement neutres. Les médecins doivent donc prendre position et se situer : ils sont du côté des exploiteurs ou du côté des exploités ; ils ne peuvent être des deux côtés à la fois.

Malgré le statut privilégié qu'on leur a accordé, les médecins sont des travailleurs de la santé au même titre que les autres. Ils doivent s'intégrer aux équipes qui se développent, procéder aux réajustements qui s'imposent et mettre leurs connaissances à la disposition de ceux qui ont été expropriés de leur santé ou qui sont susceptibles de l'être.

La maladie se manifeste par des symptômes, nous enseigne-t-on ; mais la maladie est symptôme elle-même et si l'on veut aller aux causes, il faudra opérer maints changements dans notre société. Quand on ne fait que soigner les symptômes, on pratique une mauvaise médecine ; quand on ne cherche qu'à guérir les maladies sans se préoccuper des conditions qui les ont engendrées, on fait une aussi piètre médecine.

À l'automne '76, j'acceptais de participer à nouveau au séminaire sur « le système de santé au Québec » ; il s'agissait d'une version « améliorée » du cours de l'année précédente. Les étudiants avaient présenté un mémoire à la faculté pour demander diverses modifications au cours ; ils souhaitaient en particulier recevoir plus de cours en médecine sociale, de telle sorte que la réflexion amorcée en deuxième année puisse être poursuivie les autres années. Les seuls changements apportés furent d'attribuer par ordre alphabétique les étudiants aux animateurs et d'uniformiser davantage le contenu. Certains animateurs avaient été choqués de n'être pas plus souvent choisis par les étudiants et ils n'avaient pas apprécié ce concours de popularité ; de plus, les responsables du cours écartaient ainsi la possibilité de regroupements naturels, ce qui normalement devrait permettre d'éviter les confrontations qui avaient eu lieu en fin de session, en particulier quand il avait été question d'attribuer des notes aux étudiants.

Mon groupe fut donc plus représentatif des étudiants en médecine en général. Il est vite devenu évident que le message que je leur livrais différait tellement de ce qu'ils entendaient à la journée longue qu'il ne pouvait finalement passer. Les étudiants reconnaissaient la nécessité de cette réflexion, mais en même temps ils avouaient leur incapacité à poursuivre l'effort critique demandé.

Même sans la stimulation que m'avait offert le premier séminaire sur la santé, je poursuivais mon analyse du système de soins au Québec. En février 1977, *La Presse* et *Le Devoir* publiaient le texte suivant :

COMMENT SE DÉFAIRE DE LA RÉMUNÉRATION À L'ACTE ?

Les journaux du 5 février 1977 font état d'une étude effectuée à la Régie de l'assurance-maladie du Québec sur les divers facteurs influençant la croissance des coûts de l'assurance-maladie. D'après cette étude, il apparaît clairement que les médecins sont les principaux responsables de la croissance des coûts: en effet ce sont eux qui choisissent le type d'acte à poser lors de chaque consultation et ils optent de plus en plus souvent pour les actes les plus payants pour eux. L'étude conclut qu'il ne servirait à rien d'imposer des frais modérateurs aux consommateurs (chaque personne qui consulte devant payer de sa poche une certaine proportion du coût de la consultation) mais qu'il faut plutôt remettre en question le système de rémunération à l'acte. Tout cela est bien vrai, mais ne constitue qu'une partie de la vérité. J'aimerais lever le voile sur l'autre partie.

1) *Les actes mieux rémunérés présentent souvent des dangers pour les malades qui doivent les subir; Daniel Larouche cite un rapport américain qui dit qu'« en 1974, aux États-Unis seulement, les chirurgiens ont pratiqué 2.38 millions d'interventions non nécessaires, interventions qui ont entraîné 11 900 mortalités inutiles... » On peut penser qu'au Québec, il se fait aussi de telles interventions inutiles: par exemple nos femmes se font enlever huit fois plus souvent la vésicule biliaire qu'en Angleterre, 2 fois plus souvent l'utérus, 2 fois plus souvent l'appendice.*
2) *Le paiement à l'acte entraîne la multiplication des actes; un médecin n'a pas intérêt à guérir son patient, mais il a tout intérêt à l'entretenir dans sa maladie, à le revoir souvent et pendant longtemps.*
3) *Le paiement à l'acte conduit à poser des gestes concrets mesurables pour lesquels un paiement est prévu, or de tels gestes n'existent pratiquement que dans le domaine curatif, ce qui porte à négliger toute la problématique de la prévention.*

Il est de plus en plus clair que notre médecine est complètement décrochée de la santé et qu'elle n'offre que des cataplasmes bien imparfaits qui ne guérissent rien, mais il est aussi clair qu'il ne suffirait pas de simplement changer le mode de rémunération des médecins pour arriver aux changements qui s'imposent. Cependant il me semble incontestable que la fin de la rémunération à l'acte est une condition préalable aux transformations plus profondes qu'il faut apporter au système de santé; de plus, l'économie ainsi réalisée permettrait de trouver l'argent nécessaire à la mise en marche des réformes qui s'imposent; enfin la diminution du nombre d'actes médicaux et de leur sophistication provoquerait déjà une certaine amélioration en ce sens que la morbidité et la mortalité diminueraient.

Pour remplacer le paiement à l'acte, on parle beaucoup de salariat. Le type de médecine auquel les médecins sont préparés et les structures de services dont on dispose au Québec ne se prêtent actuellement pas à une telle mesure. (...) Il m'apparaît clairement que c'est une transformation totale de toute la structure de services et de l'orientation de la médecine qui s'impose; nous devons enfin nous intéresser aux conditions de travail, à l'écologie, aux loisirs, à l'exploitation sous toutes ses formes.

Un peu plus tard au printemps, *Médi-us* consacrait un numéro à l'avortement. J'y écrivais ce texte:

«S'IL VOUS PLAÎT DOCTEUR,
PUIS-JE ME FAIRE AVORTER?»

Il y a quelques mois, la Corporation professionnelle des médecins du Québec publiait les résultats d'un sondage qu'elle avait fait effectuer auprès de ses membres. Nous n'allons pas analyser ici ce sondage ni en répéter toutes les données, mais simplement partir des conclusions de cette étude et réfléchir quelque peu sur les attitudes des médecins face à l'avortement.

Voici, textuellement, la conclusion du résumé du rapport «Les médecins du Québec face à l'avortement»:

«Des conclusions de ce sondage il se dégage l'idée que les médecins souhaitent voir apporter des modifications à la situation actuelle. Dans une proportion décroissante, les médecins souhaiteraient voir

- *a) augmenter le nombre d'hôpitaux ayant des comités d'avortement thérapeutique;*
- *b) libéraliser les conditions que reconnaît la loi comme motifs valables pour avoir recours à un avortement thérapeutique;*
- *c) standardiser dans tous les hôpitaux les normes d'acceptation pour pratiquer un avortement thérapeutique;*
- *d) retirer du Code criminel canadien les procédures relatives à l'avortement.»*

Peu à peu, les médecins évoluent sur la question de l'avortement: ils acceptent de plus en plus d'indications pour l'avortement, ils souhaitent un élargissement de la loi; mais au fond, ils demeurent très conservateurs. Fondamentalement, le corps médical demeure sexiste dans ses positions: il manifeste une très grande réticence à confier aux femmes leurs propres décisions, tenant à tout prix à les contenir par des lois, par des comités thérapeutiques ou même simplement par les médecins qui devraient être obligatoirement consultés avant que la décision soit prise. Dans ce domaine, le raisonnement sous-jacent à l'attitude des médecins s'apparente à celui de l'Église catholique: si on laisse les femmes libres, c'est l'ouverture à la débauche, à l'abus, ... comme si les femmes avaient recours à l'avortement par plaisir.

À l'heure où le système capitaliste est de plus en plus remis en question et où l'on essaie de situer chacun dans les luttes qui se mènent, les médecins une fois encore s'alignent aux positions et aux intérêts de la classe possédante qui cherche constamment à réprimer les autres classes. En reconnaissance de cette fidélité, on sait les privilèges accordés aux médecins: revenus et statut social qui voisinent ceux de la classe possédante.

Pourquoi les possédants s'opposent-ils à la libéralisation de l'avortement? De plus en plus ils s'inquiètent d'un éventuel vieillissement de la population suite à la diminution des naissances; comme conséquence, la main-d'œuvre risque de devenir de plus en plus rare et coûteuse... Aussi, il y a la question de la sujétion des femmes: si les femmes peuvent contrôler totalement leur sexualité, est-ce que les hommes ne perdront pas plusieurs des privilèges qu'ils ont actuellement? Dans certains cas, les gens de la classe dominante ont besoin de l'avortement; mais ils ont des «connections» avec les médecins qui contrôlent les comités thérapeutiques ou, au pire, ils peuvent se payer le voyage dans l'État de New York.

Tant que les médecins feront partie des privilégiés, ils résisteront à l'abandon du contrôle de l'avortement; une fois encore, les femmes ne devront compter que sur elles-mêmes si elles veulent obtenir «le droit à l'avortement libre et gratuit».

L'été 1977 devait me permettre de prendre un peu de recul vis-à-vis de mes diverses activités dans le domaine de la santé. Il m'apparaissait de plus en plus évident que jamais la profession médicale n'accepterait d'elle-même de se transformer et de perdre les privilèges énormes dont elle jouissait. Les seules réformes qu'elle pouvait permettre étaient celles qu'elle contrôlerait ; ainsi, l'accouchement à la Leboyer pouvait à la limite devenir acceptable puisque le médecin continuait à y jouer un rôle important, même si ce rôle était considérablement modifié. Les médecins ne changeraient finalement qu'à partir du moment où ils y seraient forcés, quand ils n'auraient plus d'autre choix. Pour forcer ces changements, la population ne devait compter que sur elle-même. En devenant plus conscients, en exigeant davantage d'explications, en réclamant des services plus humains, les gens arriveraient peut-être à transformer la médecine et les médecins. J'abandonnais ma prétention de changer les médecins en leur donnant une meilleure formation. Aussi quand on me demanda de participer à nouveau au cours sur « le système de santé au Québec », je refusai dans les termes suivants :

Mme Claire Laberge-Nadeau
Département de médecine sociale et préventive.
Chère madame,
(...)

Cette année, je ne participerai pas au cours ; en effet, je trouve que la petite goutte de médecine sociale perdue dans l'océan de médecine « technique » n'a aucune chance d'influencer sensiblement le produit final du cours de médecine, c'est-à-dire le jeune médecin. En fait, nous ne réussissons qu'à susciter quelques questions chez quelques étudiants et le tout est bien vite noyé dans cette masse de matière qu'on fait ingurgiter bon gré mal gré aux étudiants. Pour arriver à former des médecins qui correspondent réellement aux besoins du Québec, c'est d'une restructuration complète qu'a besoin le cours de médecine ; l'introduction de quelques cours de médecine sociale ne suffit pas à annuler les effets négatifs d'un ensemble structurellement mauvais ; tout au plus, ce cours entretient-il l'illusion qu'on est de bonne volonté à la Faculté et qu'on veut des changements. L'expérience des quelques années passées a montré que la « tolérance » face aux changements était fort petite et qu'il ne fallait pas changer grand-chose. C'est ce qui fait que les réclamations des étudiants, répétées année après année, restent pour la plupart lettre morte. Pourtant, les critiques face au cours sont nombreuses et combien justifiées!

Je ne voudrais pas, par ma présence, continuer à laisser croire qu'il est possible d'espérer une évolution significative du cours de médecine sans une transformation importante des structures de la faculté et surtout sans une réévaluation complète du rôle du médecin dans la société.

À l'automne de la même année, j'écrivais mon dernier article dans *Médi-us*; j'y présentais brièvement l'Association québécoise pour la protection des malades, que j'avais aidée à mettre sur pied avec deux amis:

LES MALADES DÉFENDENT LEURS DROITS...
(CAR ILS EN ONT!)

L'Association québécoise pour la protection des malades (AQPM) a été fondée il y a quelques mois. L'un de ses premiers gestes fut de publier une petite brochure, «Le manuel des droits des malades», qui explique succinctement les principaux droits des citoyens vis-à-vis des services de santé et des thérapeutes:

— *le droit de refuser son consentement à certaines procédures;*
— *le droit à l'intimité et à la confidentialité;*
— *le droit de refuser d'être utilisé (comme instrument de recherche, d'enseignement, ...);*
— *le droit d'être traité dans les urgences;*
— *le droit de quitter l'hôpital ou le bureau du médecin;*
— *le droit à un traitement de qualité;*
— *le droit de changer de médecin;*
— *le droit de connaître le traitement monétaire du médecin pour l'acte qu'il pose.*

Après avoir expliqué ces droits, le manuel donne quelques idées sur la façon de procéder pour les faire appliquer; finalement, on y mentionne d'autres droits qui ne sont pas encore acquis mais qu'il faudrait réclamer si l'on veut vraiment avoir accès à la santé.

Pour la plupart d'entre eux, les médecins ne voient pas d'un bon œil la naissance d'une telle association: leur premier réflexe est de penser à leur portefeuille et ils se disent: «on va avoir un lot de poursuites sur le dos, ça va faire monter nos assurances, on n'en finira plus de prendre des précautions pour se protéger, ...» ou bien ils craignent de voir briser leur tranquille assurance et leur omnipotence par des questions de plus en plus nombreuses de leurs patients. Les buts de l'Association sont pourtant clairs :

- — renseigner la population sur ses droits dans le domaine de la santé ;
- — dénoncer, quand il y a lieu, les situations inacceptables faites aux malades dans certaines institutions ;
- — aider les malades victimes de négligence professionnelle ou d'autres erreurs à préparer leur dossier et à poursuivre les professionnels impliqués ;
- — amener les organismes concernés (corporations professionnelles, gouvernements, etc.) à prendre les mesures qui s'imposent pour protéger les malades ;
- — appuyer les mesures qui permettent une plus grande participation des malades à leur traitement.

Pour éviter les poursuites, les solutions sont claires, ce qui ne signifie pas, dans la dégradation de la pratique actuelle, qu'elles soient faciles. Il ne s'agit pas de multiplier les analyses et les consultations, mais plutôt de prendre le temps d'interroger et d'examiner les patients, de répondre à leurs questions et de leur expliquer ce qui se passe et de prescrire, au besoin, les traitements d'usage. C'est beaucoup demander à des médecins qui sont payés à l'acte et qui ont donc tout intérêt à multiplier les actes ; des médecins qui ont développé toutes sortes de façons de procéder qui excluent totalement la participation des gens (le jargon médical, le ton autoritaire, le paternalisme) ; et que dire de tous ceux qui n'ont pas ouvert un livre depuis des dizaines d'années et qui continuent à ne compter que sur les maigres connaissances acquises il y a dix, vingt ou trente ans ? Personne n'exige de miracles des médecins ; tous nous savons que nous mourrons un jour et qu'il existe une foule de maladies pour lesquelles nous pouvons fort peu ; nous savons également que les médecins ne sont pas des dieux et qu'ils peuvent se tromper. Mais nous voudrions qu'ils prennent un minimum de précautions pour éviter les erreurs ; il y a une différence entre un cancer abdominal ignoré parce que le médecin n'a pas pris le temps de procéder à un examen physique et une mononucléose non diagnostiquée parce que, se présentant sous une forme atypique, le médecin n'a pas demandé de Monotest.

Non, l'AQPM n'a pas l'intention de se substituer à Loto-Québec pour permettre à quelques « victimes » de décrocher rapidement le gros lot sur le dos des médecins. L'Association, c'est un regroupement de consommateurs de soins de santé qui entendent « voir au grain », c'est-à-dire surveiller la qualité des services de santé qui sont dispensés et sonner l'alarme au besoin, mais aussi chercher des moyens pour s'impliquer le plus possible dans la dispensation des soins et surtout dans la prévention. Dans le Manuel des droits des malades, on dit : « Votre vie est trop importante pour l'abandonner sans droit de regard entre les mains d'étrangers qui, la plupart du temps, tirent leur revenu de votre mauvais état de santé » ; cette phrase est lourde de signification et elle donne toute la mesure de notre système de santé qui, en fait, n'en est pas un, car c'est au fond un « système de maladie ». De telle sorte que les critiques de l'Association exigent beaucoup plus qu'une simple amélioration des services actuels ; elles conduisent à une remise en question de tout le système de santé, de la médecine occidentale industrialisée et même du système capitaliste qui permet aux assoiffés du profit de sacrifier la vie à leur veau d'or.

Les tâches de l'Association ne concernent pas que les malades ; tous nous devons nous préoccuper dès aujourd'hui *de notre santé et des conditions qui la rendent possible.*

C'était mon dernier article dans *Médi-us* car avec l'équipe, nous avions procédé à un bilan de notre travail et avions conclu que l'effort de publier un journal était trop grand pour les résultats qu'il donnait. Les étudiants semblaient de plus en plus hermétiques au genre d'idées que nous voulions promouvoir ; les membres de l'équipe avaient l'impression qu'ils avaient déjà rejoint tous ceux qui pouvaient être sensibles à leur point de vue ; les autres ne lisaient pas *Médi-us* ou étaient insensibles à son contenu.

À l'automne 1978, j'acceptais à nouveau de rencontrer les étudiants, cette fois dans le cadre des débats-midi. Ces conférences étaient organisées par un groupe d'étudiants qui tentaient de hausser le niveau de conscience sociale des futurs médecins. J'avais à leur parler de l'engagement social du médecin; je le ferais en leur racontant mon cheminement puis en leur faisant part de mes réflexions sur la santé et sur le rôle que les médecins devraient y jouer. La santé dépend d'une foule de conditions sur lesquelles les médecins n'ont pas davantage prise que les autres citoyens. Pour que notre société permette une meilleure santé, il faudrait que les rapports humains y changent, en particulier que disparaissent les rapports de domination et d'exploitation. Dans les services de santé, cela signifierait la fin de la hiérarchie du personnel avec une nécessaire déprofessionnalisation et la cogestion. Dans un tel contexte, les médecins deviendraient des techniciens qui devraient être ouverts à la critique et au dialogue, qui recevraient pour leur travail un salaire équivalent à celui des autres membres de l'équipe soignante.

L'hiver suivant, j'étais «récupéré» par la faculté puisque cette fois, j'étais invité à parler aux étudiants de première année dans le cadre du cours sur les sciences du comportement; je le faisais en tant que membre de l'Association québécoise pour la protection des malades. Je devais répondre à la question «Être un bon patient, est-ce mauvais pour la santé?». J'ai d'abord expliqué pourquoi j'étais tellement critique vis-à-vis de la médecine: mes diverses expériences personnelles, les difficultés que nous éprouvions dans les CLSC à trouver des médecins qui s'intéressent à la santé et non à la maladie, les motifs qui nous avaient amenés à fonder l'Association québécoise pour la protection des malades. Puis j'ai tenté de répondre à la question posée:

> *Le «bon patient», pour les médecins, c'est celui qui manifeste une confiance illimitée et aveugle aux médecins: il accepte d'emblée les diagnostics posés, il consomme sans mot dire les pilules qu'on lui prescrit, il fait tout ce que le médecin dit sans poser de questions (car il comprend, à l'allure de son médecin, que celui-ci est très pressé). Dès qu'il ressent un symptôme qui l'inquiète, il consulte son médecin (mais il sait ne pas le faire trop souvent quand même, pour ne pas s'imposer à son médecin et l'indisposer). Le bon patient ne consulte jamais les charlatans comme les optométristes, les chiropraticiens, les physiothérapeutes*

et autres. Quand il est victime d'une erreur, il ne demande rien ; il est quand même reconnaissant d'avoir été soigné par une personne si gentille.

Par la suite, j'ai montré aux étudiants une série de découpures de journaux qui illustraient à quel point il peut être dangereux d'être ce « bon patient » que je venais de décrire. Quand on sait qu'un patient sur cinq développe, pendant son hospitalisation, une maladie iatrogénique (causée par les soins) qui est souvent mortelle, quand on découvre que 25% des autopsies révèlent que le décès a été causé par une maladie différente de celle pour laquelle la personne était traitée, quand on connaît les dangers d'une chirurgie dont les interventions sont souvent inutiles, on ne peut continuer à être un « bon patient » :

Il faut bien le reconnaître, les médecins écoutent trop peu et examinent trop peu, mais ils prescrivent trop et mal et ils opèrent trop. Que faire alors ? Devrions-nous cesser de voir les médecins ? Il me semble que non ; mais il faudrait que les patients deviennent des consommateurs avertis dans le domaine de la santé, ce qui signifie :

1) se connaître : *savoir comment son organisme fonctionne, être à l'écoute de son corps ;*
2) s'assumer : *il faut cesser d'être des objets qu'on remet entre les mains des professionnels ; c'est à nous à prendre nos décisions ;*
3) comprendre *ce que les médecins font ou veulent nous faire, donc les interroger sur les analyses qu'ils nous font passer, sur les diagnostics qu'ils posent et sur les traitements qu'ils nous recommandent ;*
4) solliciter un deuxième avis, *quand les recommandations du médecin impliquent des décisions importantes (comme une intervention chirurgicale) ;*
5) faire éliminer, *par nos plaintes et nos pressions, les médecins incompétents ou négligents ;*
6) prendre en main *notre santé, donc prendre les moyens pour la garder ou la conquérir. En cas de maladie, rester ouvert aux thérapeutiques non médicales.*

Il fallait s'en douter, un tel langage n'aurait pas l'heur de plaire à tous. Les professeurs (ils étaient quelques-uns à assister au cours) reçurent donc mes paroles froidement. Quant aux étudiants, leurs réactions étaient partagées ; après seulement quelques mois de cours, nombreux étaient ceux qui déjà s'identifiaient tellement à la profession médicale qu'ils ne pouvaient tolérer ces « insultes ». Ce fut ma dernière visite à la faculté. Quand un peu plus tard mon nom fut suggéré pour un autre cours, les professeurs s'y objectèrent ; d'après eux, j'étais choquant pour les étudiants.

CHAPITRE 8

LE COLLECTIF SOCIALISME ET SANTÉ

L'automne 1976 avait mis brusquement fin à mon rêve d'arriver à former une véritable équipe où tous pourraient travailler ensemble à une tâche intéressante et en même temps socialement importante. Les derniers mois avaient été particulièrement difficiles; la polarisation voulue par le syndicat des employés du CLSC s'effectuait et je me retrouvais de plus en plus seul. J'avais désespérément besoin d'un lieu où je puisse ne pas devoir être constamment sur mes gardes, où je puisse échanger librement sur les actions et les stratégies à envisager. Aussi fus-je très content quand Maurice Jobin m'invita à me joindre à un groupe de réflexion qu'il venait de former avec quelques autres médecins « engagés ». Fin 76, début 77, je commençais donc à assister à ces rencontres où je retrouvai quelques connaissances et où je découvris d'autres médecins qui, à divers titres, remettaient en question la pratique actuelle de la médecine et cherchaient les moyens de provoquer ou de hâter les changements qu'ils croyaient nécessaires. Nous étions six, chacun engagé dans un milieu de travail différent. Nous nous étions croisés à un moment ou l'autre de notre vie, souvent à l'occasion de luttes communes : pour l'avortement, pour l'indépendance du Québec, pour les prisonniers politiques, ...

Nous nous rencontrions régulièrement et échangions librement sur nos diverses expériences ou nos préoccupations du moment. Il y avait bien un projet de manifeste sur la médecine que nous aurions aimé écrire ; nous y travaillions lentement. Mais il était plus important de nous bien connaître ; et finalement nous ne voulions pas nous presser de produire quoi que ce soit. Tous, nous avions vécu des expériences de groupes qui s'étaient vite formés et qui trop rapidement s'étaient attaqués à des problèmes concrets ; comme les membres de ces groupes n'avaient pas eu le temps de bien se jauger et d'ainsi être en mesure de se faire mutuellement confiance, des divisions étaient vite apparues et les groupes avaient éclaté.

En décembre 1977, nous décidions de commencer à procéder un peu plus systématiquement ; il nous semblait que nous étions prêts, en tant que groupe, à entreprendre certaines actions. Nous avons donc convenu de continuer à nous rencontrer, mais nous tenterions d'orienter nos discussions vers des sujets d'actualité dans le domaine de la santé et si possible, nous rendrions public le fruit de nos discussions. C'est à ce moment que Maurice Jobin a décidé de nous laisser ; j'ai l'impression que l'expérience de *Québec Médical* l'avait traumatisé. Un des derniers articles qu'il y avait écrits lui avait valu une poursuite de 350 000 $ en dommages d'une compagnie pharmaceutique ; le juge, qui contre toute attente et en l'absence de quelque évidence que ce soit avait donné raison à la compagnie, avait tout de même réduit ce montant à 10 000 $. Même si les fonds recueillis par « les amis de Maurice Jobin » avaient permis de défrayer la majeure partie de cette somme, Maurice avait eu peur. Les compagnies pharmaceutiques ont ainsi gagné beaucoup plus que les 10 000 $ alloués par le juge ; elles ont réduit au silence un médecin qui était reconnu pour son franc-parler.

Au début du printemps 1978, nous adoptions le nom de «Collectif Socialisme et santé» et définissions sommairement l'orientation que nous entendions prendre grâce à la «déclaration de principes» suivante:

Le collectif socialisme et santé *est un groupe de réflexion et d'action sur la santé. Son objectif à long terme est de favoriser un changement social et politique dans une optique socialiste.*

1. Notre réflexion *porte sur la santé du peuple québécois et tente de n'en exclure aucun aspect. Nous faisons une analyse critique, entre autres, de l'approche médicalisante de la santé, des services actuels de soins médicaux et des lois qui les régissent, ainsi que de la formation des divers travailleurs de la santé. Cette analyse débouche inévitablement sur la remise en question des fondements idéologiques d'un tel système de soins et nous amène à développer un point de vue politique.*

2. Notre action *consiste à diffuser ce point de vue politique par différents moyens dont des prises de position publiques sur des sujets reliés à la santé.*

3. Notre objectif à long terme.

Notre point de départ est la reconnaissance de l'existence d'un lien étroit entre le type de services de santé actuellement offerts au Québec et le système d'économie capitaliste dans lequel nous vivons (v.g. l'industrie des médicaments, le secteur privé vs le secteur public, la hiérarchie des revenus des divers travailleurs de la santé, l'absence de pouvoir réel des usagers dans les institutions de soins, etc.). Les services de santé constituent à nos yeux un instrument privilégié du capitalisme, visant à maintenir en place de diverses façons ce système économique fondé sur le profit d'une minorité aux dépens de la majorité: les certificats de maladie dispensés aux travailleurs exploités, les diagnostics individualisant toujours les problèmes, la tranquillisation de toutes les angoisses et révoltes, par exemple, font en sorte qu'aucune mobilisation efficace ne peut s'organiser. La critique publique des services de santé et de l'idéologie qui les sous-tend nous apparaît donc comme un moyen de dénoncer et de saper le système capitaliste, en s'attaquant à l'un de ses piliers fondamentaux.

La reprise en main par les gens de leur santé ne peut par ailleurs survenir sans un changement en profondeur des structures sociales et des mentalités actuelles, et cela suppose une mobilisation de masse. Or justement la santé nous apparaît comme un domaine idéal pour favoriser cette mobilisation. D'une part le capitalisme a atteint ses limites et l'on découvre de plus en plus de liens entre ce système et le mauvais état de santé des gens ; la volonté de combattre les causes de la maladie conduit donc à rejeter le capitalisme et à travailler à l'instauration d'une alternative valable. D'autre part cette société que nous recherchons ne nous tombera pas du ciel : il faut déjà commencer à la construire, et en particulier la faire telle que la santé y soit possible pour tous ; cette société qui permettra le plein épanouissement de chacun et par conséquent la santé, nous croyons qu'elle se réalisera grâce au socialisme.

4. Notre projet socialiste

— *il est québécois, donc adapté à la réalité d'ici ;*
— *il s'oppose à toute forme d'exploitation humaine, que ce soit dans les rapports de classes, de sexes, de races ou d'individus ;*
— *il est démocratique et autogestionnaire, c'est-à-dire qu'il consacre le principe du pouvoir à la majorité et donc remet aux masses la prise en charge des institutions sociales ;*
— *il refuse enfin que le bien-être québécois qu'il propose se fonde sur le maintien de rapports inégaux avec les populations indiennes et esquimaudes ainsi qu'avec les pays du Tiers monde.*

Sur la base de ce manifeste, nous avons décidé d'élargir notre groupe en recrutant quelques autres personnes qui travaillaient dans le domaine de la santé mais qui n'étaient pas médecins. Nous avons bientôt saisi l'occasion des audiences publiques sur le *Livre vert sur les loisirs* pour faire notre première intervention publique. Nous avons préparé un mémoire sur le Livre vert et l'avons présenté au ministre Claude Charron lors des audiences publiques de Montréal. Le ministre, ses collaborateurs et toutes les personnes présentes lors de la présentation du Mémoire s'étaient tous montrés vivement intéressés par notre point de vue original. Le ministre nous demanda même de participer à un comité consultatif qui devait évaluer les programmes gouvernementaux dans le domaine de la promotion de l'exercice physique. Nous attendons encore la lettre de nomination promise à cette occasion ; M. Charron s'est sans doute fait rappeler à l'ordre par ses grands frères du Conseil des ministres... Voici le texte de ce mémoire[1] :

Notre intention en présentant un mémoire n'est pas de nous livrer à une analyse exhaustive du Livre vert sur le loisir au Québec. Qu'il nous suffise de dire que d'une part nous sommes d'accord avec le diagnostic posé — la participation très faible aux loisirs, l'accessibilité inégale et l'exploitation commerciale sauvage qui les caractérise, ces trois faits entraînant comme conséquences pour la majorité des Québécois une condition physique compromise, un environnement naturel peu accessible, une créativité qui s'émousse et une faible connaissance du pays. Nous approuvons également les objectifs prioritaires désignés : la santé à recouvrer, la nature à s'approprier, la créativité à développer et le pays à découvrir. Mais d'autre part nous jugeons que les correctifs suggérés sont bien en deçà de ce qu'il faudrait faire et qu'ils ne changeront pas essentiellement la situation. Nous craignons également que faute de moyens financiers et d'une réelle détermination politique, le Livre vert n'en reste qu'à des vœux pieux qui auront une fois de plus berné le public. En tant que groupe intéressé à la santé, nous avons choisi de nous pencher sur deux aspects seulement de la question : le type de loisirs à développer et leur financement.

Il ne faudrait cependant pas se méprendre : la santé n'est pas qu'une affaire de loisirs, loin de là. Si l'on voulait vraiment travailler à améliorer la santé des gens, il faudrait œuvrer sur plusieurs autres fronts :

- *faire que chacun ait un travail épanouissant, sans danger pour sa santé et lui fournissant un revenu suffisant pour vivre convenablement ;*
- *mettre à la disposition de tous des logements adéquats ;*

---

1. Ont participé à sa rédaction : Henri Bellemare, Gustave Denis, Louise Blais, Jean Lapierre, Serge Mongeau, Hélène Poirier, Marc Renaud et Jean Thibault.

— *éliminer de l'environnement les facteurs nocifs pour la santé comme les polluants de l'air et de l'eau, l'excès de bruit, etc.;*
— *améliorer la qualité des aliments disponibles en éliminant les multiples additifs aux effets prévisibles ou non;*
— *mettre un terme à cette entreprise d'intoxication massive que constitue l'utilisation actuelle des médicaments, qu'ils soient prescrits ou non.*

Sans être la pierre angulaire de la santé, les loisirs n'en constituent pas moins un élément important, tant dans sa conservation que dans sa restauration. C'est pourquoi nous croyons qu'il faut effectivement les améliorer.

Compte tenu de la situation actuelle, nous croyons qu'il faut s'orienter vers le développement de loisirs de masse, lesquels devraient répondre aux quatre critères suivants:

a) L'accessibilité: *il faut multiplier les équipements de loisir, prioritairement dans les quartiers populaires et les régions éloignées; pour ce faire, on devrait choisir des types d'équipement dont la mise sur pied ne coûte pas cher (par participant éventuel) et qui permettent des activités dont la pratique n'entraîne pas de coûts élevés, par exemple on pourrait mettre à la disposition de la population des bicyclettes communautaires avec des pistes cyclables permettant de s'en servir, des skis de randonnée et des pistes gratuits, des pelouses publiques sur lesquelles on puisse pratiquer certains sports estivaux, etc.*

b) La participation «signifiante»: *notre société super-administrée prive les gens de la possibilité de prendre des décisions; tout cela est à changer. Dans les loisirs tout au moins, les gens pourraient retrouver dès maintenant cette possibilité de s'autodéterminer; les organisations de loisirs devraient donc être assez petites pour permettre à chaque participant d'y avoir son mot à dire. Qu'on donne aux gens les moyens de s'organiser et on verra qu'ils peuvent se passer d'administrateurs de carrière et bien souvent aussi de moniteurs spécialisés.*

c) L'aspect social: *il faut privilégier les formes de loisirs qui permettront les contacts avec les autres et la communication, par exemple des fêtes populaires, des sports d'équipe, des activités folkloriques, etc. Pour faciliter aux femmes isolées au foyer une telle participation, il faudrait mettre à leur disposition des garderies.*

d) Le respect du milieu: *dans bien des cas, les loisirs permettront un contact plus direct avec la nature; tout au moins leur pratique ne devrait-elle pas conduire à la détérioration d'un environnement déjà souvent compromis.*

Même si, dans le Livre vert, on dit que les divers gouvernements (fédéral, provincial et municipaux) consacrent des centaines de millions de dollars aux loisirs, même si on dit qu'il faudrait avant tout une utilisation plus rationnelle des ressources actuelles, nous croyons que pour développer le type de loisirs qui réponde aux critères que nous avons esquissés, il faudrait investir des argents nouveaux dans l'organisation des loisirs au Québec. Comme il est prévisible qu'on nous répondra que nous sommes en période d'austérité, nous avons cherché, dans les dépenses actuelles du gouvernement, des sommes qu'on pourrait récupérer; et pour ce faire, nous nous sommes tout naturellement tournés vers les dépenses consacrées à la santé.

Nous affirmons en effet que sur les milliards de dollars actuellement dépensés pour les soins de santé, il serait possible d'en économiser des centaines de millions sans que la population ne s'en porte plus mal. Si cet argent était dépensé pour les loisirs, il est certain que la santé de la population en serait améliorée. Nous réalisons que dans le contexte des restrictions budgétaires et des coupures de postes actuelles, notre affirmation pourrait être mal comprise: on pourrait l'interpréter comme un aval aux pratiques récentes des administrations hospitalières, alors qu'il n'en est rien.

Depuis quelques années, les pays occidentaux capitalistes traversent une grave crise financière qui se répercute en particulier sur les budgets gouvernementaux: face à une inflation galopante, on cherche à réduire les dépenses gouvernementales et comme toujours dans pareil cas en contexte capitaliste on se tourne d'abord vers les dépenses de bien-être. Les critiques du système de santé actuel comme Illich ont donné un fondement idéologique aux coupures dans les soins de santé, et les technocrates gouvernementaux n'ont pas perdu de temps à justifier un ralentissement des investissements dans le domaine de la santé. Ainsi dans son livre Nouvelle perspective de la santé des Canadiens, *Marc Lalonde écrit: «Le taux annuel d'augmentation du coût des soins de santé se situe entre 12 et 16 p. 100, ce qui excède de loin le taux de croissance économique du pays; il faut y mettre un frein sinon la société ne pourra bientôt plus les supporter». (p. 29). Nous croyons aussi qu'il faut cesser d'augmenter les dépenses dites de santé et même qu'il faut considérablement les réduire; mais nous ne croyons pas qu'il faut laisser la responsabilité de ces coupures aux médecins ou aux administrations hospitalières qui leur sont trop souvent inféodées; les médecins ont trop d'intérêts dans la perpétuation et même le développement du système actuel pour qu'on s'attende à ce qu'ils puissent y changer quoi que ce soit de fondamental. En conséquence, les coupures qu'ils recommandent ou tolèrent touchent le personnel dit «paramédical» ou les services à la population, mais ne menacent en rien leur empire,* alors que c'est là qu'il faudrait frapper. *En fermant des salles d'urgence, en réduisant le nombre de lits d'hôpitaux, en construisant des superbuanderies, en retournant à l'entreprise privée les examens de laboratoire ou de radiologie, etc., certes on économise à court terme, mais sur le dos de la population et des travailleurs qui occupaient ces emplois. Alors qu'une recherche sommaire nous a permis d'identifier plusieurs endroits où l'on pourrait économiser des sommes importantes au détriment des multinationales des médicaments ou de l'équipement médical, au détriment aussi des principaux bénéficiaires du système de santé actuel, les médecins.*

En rendant plus rationnelle et efficace l'utilisation des ressources humaines et financières en matière de soins de santé et en égalisant quelque peu les revenus des travailleurs de la santé, il serait possible au gouvernement québécois d'économiser des sommes considérables qui pourraient dès lors être affectées à une véritable promotion de la santé par les loisirs. Voici quelques exemples des argents qui pourraient ainsi être libérés, sans que la qualité et la quantité des soins donnés à la population en soient sérieusement touchées:

- *Si les revenus imposables des médecins pratiquant à leur compte étaient réduits à ceux des dentistes, des avocats ou des comptables — les trois professions* *les mieux payées après les médecins et les ingénieurs, le gouvernement québécois économiserait plus de $100 millions. Notons bien que nous parlons des revenus* imposables, *i.e. des revenus après déduction des dépenses de bureau et autres. Notons également qu'avec un tel revenu les médecins gagneraient encore plus du double des infirmières!*

— *Si des protocoles rigoureux étaient établis pour toute procédure de radiologie diagnostique et si des contrôles stricts étaient introduits dans la prescription d'analyses de laboratoire, les dépenses à ce titre pourraient être réduites de 30%. C'est $25 millions, selon un estimé conservateur, que le gouvernement pourrait ainsi économiser.*

— *Si on utilisait au maximum les travailleurs dits para-médicaux pour les tâches auxquelles ils ont été formés, ne laissant aux médecins et aux dentistes que les actes relevant de leur compétence exclusive, des ressources importantes pourraient à nouveau être économisées. Par exemple, si toutes les tâches dites de prévention dans le programme de services dentaires du gouvernement québécois étaient effectuées par des hygiénistes dentaires plutôt que par des dentistes, c'est au moins $2 millions qui pourraient être récupérés à d'autres fins. Autre exemple; si la pose des stérilets était réservée aux infirmières plutôt qu'aux médecins, des économies de l'ordre de plus de $1 million pourraient être réalisées par le gouvernement, sans parler des économies que le public ferait avec la cessation du petit commerce de nos docteurs qui vendent les stérilets avec un profit allant de 100 à 1000%.*

— *Année après année, les statistiques de la Régie de l'assurance-maladie révèlent que les médecins spécialistes ne font pas uniquement les actes pour lesquels ils ont été scientifiquement formés. Dans certaines spécialités, c'est 20% des actes posés; dans d'autres (gynécologie, pédiatrie, médecine interne), c'est jusqu'à 80% des actes posés qui sont en fait du travail d'omnipraticien. Si le nombre de médecins spécialistes était graduellement réduit en conséquence, des économies substantielles pourraient encore être réalisées.*

— *Enfin, il existe, dans la littérature épidémiologique, un ensemble d'analyses de procédures chirurgicales ou autres qui remettent en question l'utilité réelle des thérapies les plus coûteuses. C'est ainsi par exemple qu'une expérience clinique contrôlée en Angleterre a récemment soulevé de sérieuses questions quant à la supériorité thérapeutique des unités coronariennes pour les infarctus sans complications.*

Il en va de même pour les pontages aorto-coronariens, les mamectomies radicales et plusieurs autres opérations chirurgicales extrêmement coûteuses. C'est du devoir des autorités du ministère des Affaires sociales et de l'Association québécoise pour la santé publique d'évaluer ces études et, si nécessaire, d'empêcher le développement de procédures qui sont trop coûteuses pour les bénéfices qu'elles procurent.

En septembre 1978, nous réagissions à une proposition de l'Association des hôpitaux de la province de Québec d'instaurer le carnet de santé obligatoire. Notre texte fut publié dans *La Presse*:

À PROPOS DU CARNET DE SANTÉ [1]

Il n'y a pas de «mauvais malades», il n'y a que des médecins médiocres.

Dr Jean NICOLAS

Questions de femmes

L'Association des hôpitaux de la province de Québec (AHPQ) vient de proposer au gouvernement, entre autres recommandations, de faire l'essai, dans une région du Québec, d'un carnet de santé obligatoire. Ce carnet que chaque personne posséderait devrait être montré au médecin avant tout traitement, et le médecin y inscrirait toute analyse ou traitement qu'il prescrirait. L'Association croit qu'avec un tel carnet, d'une part les patients pourraient bénéficier d'un traitement plus rapide dans les situations d'urgence, d'autre part on limiterait le «magasinage» de certains patients qui consultent trop fréquemment et feraient ainsi augmenter les coûts des services.

---

1. Ont participé à sa rédaction: Henri Bellemare, Gustave Denis, Louise Blais, Jean Lapierre, Serge Mongeau, Hélène Poirier, Marc Renaud et Jean Thibault.

La suggestion de l'AHPQ s'inscrit en partie dans la recherche de moyens pour limiter les coûts de la santé. D'aucuns parlent d'un carnet de santé, d'autres ont déjà parlé (et en reparleront sans doute) d'un «ticket modérateur», c'est-à-dire d'une certaine somme que chaque patient devrait payer pour chaque consultation, le gros des frais étant quand même assumé par la Régie de l'assurance-maladie. Dans l'une ou l'autre de ces solutions, on part de l'hypothèse que les gens abusent de la facilité d'accès aux services médicaux. C'est là une affirmation sans fondement et fort commode, puisqu'elle permet de garder sous le boisseau certaines des causes plus profondes de l'augmentation des coûts des services de santé. Certes, l'augmentation de l'utilisation des services est considérable: entre 1976-77 et 1977-78, elle est de près de 10%. Certes, il y a une croissance des coûts qui est difficile à juguler. Mais peut-on conclure pour autant qu'il y a surconsommation?

Surconsommation? Il est même étonnant que l'utilisation des services n'augmente pas plus vite. Des facteurs démographiques justifient en effet ce phénomène: la population du Québec augmente légèrement mais surtout elle vieillit rapidement, sur le plan global. De plus, dans une société fortement industrialisée, les risques de maladie s'accentuent, particulièrement en période de crise économique. En outre, notre société a tendance à médicaliser tellement de situations qui pourraient se vivre sans médecins et sans médicaments qu'il faut s'attendre à une augmentation constante de la consommation. La vieillesse, la grossesse et l'accouchement, l'élevage des enfants, la tristesse et l'anxiété sont quelques-uns des phénomènes humains qu'on a déjà considérablement médicalisés.

Pour être réalistes, il faut concéder que les services de santé ne sont pas tous utilisés de façon rationnelle, loin de là. Mais il faut savoir que cette mal utilisation est la plupart du temps engendrée par les médecins et non par les patients. *Les médecins, parfois par incompétence ou par négligence, mais surtout en raison de la formation qu'ils ont reçue et mettent fidèlement en pratique, découvrent rarement l'origine des maux les plus courants de leurs patients. N'accordant qu'un minimum de temps pour chaque consultation (une recherche en cours au Québec établit à 8 minutes la moyenne accordée par les omnipraticiens en bureau privé à un problème complexe), ils se trouvent habituellement dans l'incapacité de bien identifier la cause des malaises et n'offrent que des solutions superficielles, d'ordre symptomatique. En conséquence les patients sont obligés de continuer à chercher le soulagement à leurs maux. Beaucoup d'examens de laboratoire et de radiologie sont faits sans nécessité pour le patient. Le médecin utilise ces tests pour remplacer l'histoire et l'examen du patient qu'il ne prend pas le temps de faire, ou encore il tente de se protéger contre d'éventuelles poursuites, ou même il entretient ainsi son patient, lui donnant l'impression de faire quelque chose pour lui et surtout le forçant à revenir le voir pour obtenir les résultats. Nombre de références à des confrères se font par complaisance: il faut faire travailler ses amis, il faut assurer un débit «rentable» à la clinique de radiologie, etc. Enfin, il y a des médecins carrément crapuleux qui multiplient leurs actes pour le seul bien de leur porte-monnaie.*

Si nous croyons que la population abuse moins des services médicaux que les médecins, il va sans dire que nous ne tenons pas à garder tels quels les services actuels. En effet, il est clair que la médecine libérale telle que pratiquée au Québec «infantilise» les gens, empêche la continuité du traitement, est trop coûteuse et est même dangereuse, pour ne nommer que quelques-uns de ses inconvénients.

L'infantilisation: *on informe les gens le moins possible, si bien qu'ils ne savent pas ce qu'ils ont, ni les raisons des traitements ou des analyses qu'on leur fait, alors que le meilleur allié de toute thérapie est certainement le malade lui-même; les gens sont traités comme des enfants qui ne peuvent comprendre ou qui ne veulent savoir.*

La continuité du traitement: *les gens vont à l'hôpital, dans une clinique ou ailleurs et fort souvent on reprend les investigations, ignorant ce qui a été fait avant ou ailleurs.*

Le coût du système: *les médecins sont en conflit d'intérêt puisque ce sont eux qui décident des actes qu'il faut faire et leur rémunération dépend de la quantité des actes qu'ils posent.*

Les dangers du système: *le patient peut être traité par plusieurs médecins en même temps et ingérer des médicaments prescrits par chacun; certains médicaments pris en même temps multiplient leurs pouvoirs et donnent parfois des effets non recherchés.*

Le carnet de santé proposé par l'AHPQ aiderait à régler certains problèmes comme le besoin d'information du patient et les risques d'interaction médicamenteuse. Cependant, il en soulèverait d'autres : les mécanismes sociaux existants feraient que ce carnet serait utilisé pour un contrôle plus grand de la vie privée des gens, en particulier par les employeurs qui ne se gêneraient certainement pas pour exiger de leurs éventuels employés un examen de leur carnet de santé. Même si la loi disait qu'un employeur n'a pas le droit d'exiger de voir le carnet de santé, les employeurs la contourneraient facilement en n'engageant que ceux qui l'auraient « volontairement » montré. Les gens à la recherche d'un emploi qui voudraient poursuivre une compagnie auraient à porter le fardeau de la preuve, ce qui n'est pas facile. Déjà dans certaines entreprises la convention collective permet que le dossier médical soit intégré au dossier de l'employé, lequel dossier est à l'usage du bureau du personnel. Et que dire des autres utilisations qu'on ferait de cette carte, comme système d'identification en particulier ?

En somme, le carnet de santé pourrait certes être une des solutions à certains des problèmes dont nous avons parlé plus haut. Mais les inconvénients du carnet sont tels qu'il est clair qu'un gouvernement respectueux des droits de l'homme ne peut pas l'accepter. Dans notre société telle qu'elle est et avec nos médecins tels qu'ils sont, bien des choses devraient être changées, et certainement que nos médecins soient sélectionnés et formés autrement. Nous croyons néanmoins que des solutions pourraient être mises de l'avant, à court terme, même si elles ne sont que partielles.

Il existe déjà au Québec plus de 80 centres locaux de services communautaires qui donnent des services de première ligne en santé. Le réseau complet projeté par le gouvernement pour 1982 était de 225 CLSC, ce qui permettrait de couvrir l'ensemble du territoire. Si on complétait ce réseau pour en faire l'unique porte d'entrée aux services de santé, en plus de résoudre beaucoup de problèmes de première ligne, on pourrait répondre aux objectifs visés par le carnet de santé sans en avoir les inconvénients. Avec un tel réseau, toute personne qui aurait à voir un médecin devrait obligatoirement s'inscrire à un CLSC. Les CLSC possédant des dossiers uniques, le passage d'un médecin à l'autre à l'intérieur du CLSC ou d'un

CLSC à l'autre se ferait sans inconvénient. Quant à l'aspect information, la loi permet déjà aux patients l'accès à leur dossier ; ce dernier ne serait communiqué à une autre institution (comme un hôpital) que sur demande écrite du patient. Après chaque consultation, on pourrait aussi remettre à chaque patient une feuille indiquant le diagnostic, les résultats des analyses faites et le traitement indiqué ; cela se fait déjà dans certaines cliniques.

Tellement de facteurs contribuent à créer les problèmes que nous connaissons, qu'il est utopique de croire à une réforme qui, d'un seul coup et à court terme, corrigerait tous les vices inhérents à la pratique médicale actuelle. Malgré toutes leurs faiblesses, l'instauration d'un réseau complet de centres locaux de services communautaires (CLSC) nous apparaît comme un progrès substantiel.

Au mois de février 1979, nous prenions prétexte des travaux d'une commission d'étude sur l'enseignement universitaire pour présenter notre point de vue sur la formation des médecins :

À PROPOS DE LA FORMATION DES MÉDECINS[1]

Préoccupés par l'incapacité du système de santé actuel de répondre à de nombreux besoins de la population, nous avons voulu saisir l'occasion fournie par la constitution d'une Commission d'étude sur l'enseignement universitaire (la Commission Angers) pour nous pencher sur le rôle des professionnels de la santé et sur leur formation. Nous ne nous faisons aucune illusion sur le sort que les tenants du système actuel réserveront à nos propositions. Nous savons bien qu'ils ont intérêt à ce que l'Université joue encore mieux son rôle présent, qui est de former une soi-disant élite intellectuelle capable de maintenir sans trop de heurts le statu quo ; en échange de quoi ces « professionnels », « savants » et « docteurs » reçoivent prestige et rémunération privilégiée.

Nous ne croyons pas qu'on puisse arriver à des services de santé satisfaisants simplement en améliorant les cours

---

1. Ont participé à la rédaction de ce texte : Henri Bellemare, Sylvie Berthiaume, Louise Blais, Luc Blanchet, Jean Lapierre, Serge Mongeau, Hélène Poirier, Marc Renaud et Jean Thibault.

universitaires : les structures des services de santé doivent être complètement modifiées. Mais en même temps il faut que les universités soient radicalement transformées si elles veulent répondre aux besoins de la majorité et cesser d'être liées aux intérêts d'une minorité dominante. Il est bien entendu que tout cela ne peut se faire qu'en transformant également beaucoup d'autres aspects de notre vie collective, comme la propriété des institutions économiques, la répartition des richesses, les rapports entre les individus, etc.

Nous nous limiterons ici à l'étude du rôle et de la formation des médecins, non parce que nous croyons que les autres professionnels de la santé ne sont pas importants, mais parce que, dans notre société actuelle, les médecins sont perçus comme les « maîtres » de la santé, les sorciers aux pouvoirs presque illimités. Les médecins sont, parmi les diplômés universitaires, ceux pour lesquels on a construit les plus hauts piédestals ; ce sont bien souvent des demi-dieux auxquels on ne peut facilement s'attaquer. Et effectivement, on y trouve des gens d'une compétence techniques remarquable et qui ont des responsabilités importantes à prendre vis-à-vis de ceux qui les consultent ; ce qui n'empêche que dans notre société, comme nous le verrons plus loin, ils ont des fonctions à remplir qui dépassent nettement leur volonté individuelle. Aussi faudrait-il comprendre que nous ne faisons pas tellement une critique des individus-médecins que de la collectivité-médecins.

Quand nous sommes malades, nous allons voir le médecin. Nous nous attendons à ce qu'il trouve rapidement l'origine de notre mal et que, dans la mesure du possible, il y mette un terme. Officiellement, c'est ce que la société attend du médecin. Tout en sachant bien qu'il y a des maladies incurables et que tous nous devons mourir de quelque chose un jour ou l'autre, nous demandons au médecin d'appliquer les traitements que la science moderne a rendus disponibles soit pour guérir soit pour retarder l'évolution de la maladie, soit enfin pour soulager quand il n'y a qu'à s'incliner devant l'inéluctable. Les médecins jouent ce rôle relativement bien, de façon relativement humaine ; c'est ce à quoi les universités ont toujours cru devoir « normalement » les préparer sans jamais s'interroger sur les fonctions réelles des médecins dans une société capitaliste. D'ailleurs la plupart des médecins jouent ce rôle avec une bonne foi d'autant plus grande qu'ils sont largement récompensés pour leur travail.

Lorsque nous cherchons à comprendre le rôle du médecin, il faut aller plus loin que le cas individuel et dépasser notre propre consultation, nos attentes personnelles vis-à-vis du médecin, pour nous demander ce qui se passe dans la totalité de la pratique d'un médecin. Chaque patient qui vient avec son problème personnel est reçu seul, en secret (le secret professionnel), et reçoit un traitement individuel («il ne faut jamais donner à un autre ses médicaments», etc.); c'est donc clair, ce patient a un problème qui résulte du fonctionnement défectueux de son organisme. Chaque problème est personnel, individuel; le remède est aussi personnel, individuel; quand avez-vous vu un médecin prescrire des calmants pour le patron trop nerveux et qui exige trop de sa secrétaire? La secrétaire reçoit donc ce qui pourrait aller à son patron, l'enfant doit soigner les conséquences des erreurs de ses parents, l'ouvrier calme la toux provoquée par les particules qu'il respire à son travail, etc. En n'agissant qu'auprès de la secrétaire, de l'enfant nerveux, de l'ouvrier, le médecin sort leurs problèmes de leur contexte, empêchant ainsi les gens de prendre conscience qu'ils ne sont pas seuls à les avoir. Surtout, il les oriente vers un traitement individuel, symptomatique, qui ne tient pas compte de toutes les origines du mal.

Le médecin fait plus encore: il rend tolérable l'intolérable, il permet à l'organisme de s'adapter à des situations qu'il devrait rejeter, qu'il rejette effectivement puisqu'il en est devenu malade. Quand on fait disparaître cette fatigue chronique, cet ulcère d'estomac, cette insomnie qui ne sont que des symptômes de problèmes sous-jacents, certes l'individu se sent mieux pour un temps; mais l'agression qui avait amené l'individu à réagir persiste et il y a de fortes chances pour qu'elle continue à le miner à son insu. Ce qui compte avant tout pour les tenants du système, c'est de réparer l'individu, le rendre apte à reprendre ses tâches sociales: travailler, produire, entretenir, nettoyer, etc. Pour ce faire, il n'a pas besoin de se sentir bien dans sa peau ni d'être en parfaite santé. Ainsi, à partir d'une volonté humanitaire de soulager, le médecin devient-il le complice involontaire ou complaisant de la perpétuation de situations injustes; en d'autres termes, l'action du médecin continue à privilégier un rapport individuel même en face de situations d'exploitation économique et d'oppression qui ont amené la consultation.

Cette complicité médicale dépasse les fonctions idéologiques puisqu'elle a aussi des fonctions économiques : la médecine actuelle, influencée par le système économique dominant, contribue à pousser ce système vers la surconsommation qui le caractérise : analyses de laboratoire de plus en plus nombreuses et sophistiquées, appareils d'examen et de traitement toujours plus perfectionnés (et qu'il faut renouveler souvent) et prescriptions médicamenteuses en croissance constante ; le tout fait rouler le secteur industriel de la santé qui, dans les pays capitalistes avancés, se classe actuellement comme l'un des plus lucratifs. De cette façon, un système orienté vers le profit d'une minorité aux dépens de la majorité peut entretenir l'aliénation de cette dernière avec la collaboration des médecins.

En somme, les médecins constituent d'excellents agents de maintien du statu quo ; ceux qui profitent de ce statu quo leur en savent gré, leur permettant des gains qui les rangent pratiquement dans la même classe qu'eux et leur laissant aussi une marge importante d'autonomie et de pouvoir. Dans un appareil de santé de plus en plus étatisé, les médecins conservent encore une suprématie étonnante : même quand ils se dévalorisent aux yeux des autres membres de l'équipe de santé (comme ils le font trop souvent par leurs erreurs, leur ignorance ou leur comportement irresponsable), même quand ils se révèlent incapables de répondre aux nouvelles attentes qu'on leur manifeste, comme dans le domaine de la prévention, même quand il devient de plus en plus évident que leur apport est souvent marginal à la santé de la population, les médecins continuent à être considérés par les travailleurs qui les entourent et par la population qui a recours à leurs services comme les Autorités dans le domaine de la santé. Pour les premiers — infirmiers et infirmières en particulier — cette considération s'explique par divers facteurs comme la formation qu'ils reçoivent, l'insécurité de leur emploi et l'influence d'une culture qui a toujours porté grand respect aux médecins ; pour la seconde, la peur de la mort confère à ceux qui s'arrogent le pouvoir et le monopole de la conjurer une grandeur qu'on ne peut impunément contester. Toute tentative de démystification de la médecine s'expose donc à des résistances farouches qui ne viendront pas que des seuls médecins.

Malgré les efforts sincères de quelques universitaires conscients des défauts du système actuel, malgré toute la rhétorique qui a entouré la fondation de la faculté de médecine de l'Université de Sherbrooke et la réforme de la faculté de médecine de l'Université Laval, les universités du Québec continuent toujours à produire à peu près le même type de médecins. Elles le font de diverses façons. Ceci commence dès la sélection des étudiants admis à la faculté.

Le principal critère de sélection est le dossier académique de l'étudiant, i.e. ses résultats scolaires. Ce critère permet de recruter des gens ayant plusieurs caractères communs. D'abord, la plupart sont issus de classes privilégiées. De plus, afin d'obtenir des notes très fortes, ces étudiants ont consacré presque tout leur temps aux études. Ceci leur permet de devenir très calés en sciences, mais n'offre aucune garantie, au contraire, qu'ils auront des préoccupations sociales et des aptitudes pour les relations interpersonnelles. Dès leur arrivée, on leur fait comprendre que le cours de médecine n'est pas un cours comme les autres. On leur fait signer des cartes à la corporation professionnelle des médecins, on leur dit qu'ils constituent l'élite de la société et qu'ils doivent donc être à la hauteur des responsabilités qui leur incombent. On n'a jamais envisagé d'autre méthode de sélection ; par exemple, a-t-on jamais pensé à exiger de tout candidat aux études en médecine qu'il ait d'abord été infirmier ou infirmière ? A-t-on jamais pensé que les candidats pourraient être choisis par les usagers ?

Par la suite, l'ensemble des cours et des stages contribuera à parfaire la mentalité élitiste et corporatiste des étudiants. Le cours en tant que tel n'est pas conçu pour préparer l'étudiant aux tâches précises qu'il aura à assumer ni pour répondre aux attentes de la population à son égard. Le choix du contenu est laissé aux autorités départementales. Les étudiants doivent donc endurer à tour de rôle les différents «dadas» des physiologistes, pathologistes, immunologistes, etc. Aucune discrimination n'est faite entre les différentes parties de la matière ; les cours sont très souvent débordants de cas rares et de détails absolument inutiles. Il est donc impossible de se faire une idée d'ensemble du sujet. Dans toutes ces heures de cours, on ne donne que peu ou pas de notions sur les causes principales d'accidents de toutes sortes, sur la santé scolaire, la santé au travail, les soins aux personnes âgées, la sexualité, l'alimentation, la médecine physique et sportive et encore moins sur le contexte socio-économique qui fait qu'on est malade. Tous ces éléments seraient pourtant indispensables à l'omnipraticien engagé dans une pratique communautaire de la médecine qui se veut globale et axée sur la prévention. En somme, le cours ne constitue qu'un long exercice de mémoire qui ne livre que des notions fragmentaires ; de cette façon, on ne laisse à l'étudiant aucun temps pour se mêler à la société et voir ce qui s'y passe. Ceci permet de lui faire gober n'importe quoi et de le rendre presque complètement acritique.

Les stages pratiques qui devraient illustrer la matière et permettre l'apprentissage de techniques précises se font presque exclusivement dans les hôpitaux, là justement où on rencontre surtout les cas rares, alors que dans la pratique, la majorité des médecins aura à traiter des maladies courantes. De plus, à l'hôpital les futurs médecins sont intégrés dans cette hiérarchie immuable qui marque si profondément le domaine des soins de santé. Plutôt que d'apprendre à l'étudiant à s'intégrer à des équipes multidisciplinaires de travail, on lui fait comprendre que la santé est une chose trop sérieuse et délicate pour en laisser le contrôle à d'autres.

À l'heure actuelle se développent au Québec deux systèmes de santé parallèles : l'un privé et l'autre public. Pour nous, il s'agit d'une duplication qui apparaît d'autant plus contestable que les deux systèmes sont financés à partir des mêmes fonds publics. Le laissez-faire caractéristique de l'esprit de libre entreprise du capitalisme conduit nécessairement à une compétition et à des dédoublements coûteux et inutiles.

La médecine dite privée doit donc disparaître pour faire place à une pratique intégrée dans des lieux qui rassemblent diverses compétences. Cependant, il ne s'agit pas que d'éliminer la concurrence des systèmes privé et public pour assurer à la population les meilleures conditions de santé. D'autres changements fort importants s'imposent si on vise cet objectif. Notre objet n'est pas ici de décrire ces autres modifications qui s'imposent à notre organisation sociale (au travail, dans la vie politique, l'environnement, etc.) ; par contre, on ne peut isoler la dimension maladie du reste de la vie. Un système de santé efficace doit remplir plusieurs fonctions:

1) *prévenir les maladies avant tout;*
2) *dépister les maladies tout en évitant la surconsommation des examens et analyses;*
3) *soulager quand il y a de la douleur;*
4) *aider à réparer, quand c'est possible;*
5) *permettre à ceux qui le désirent d'accéder à une meilleure compréhension d'eux-mêmes;*
6) *prolonger la vie, quand l'individu le veut bien.*

Pour que le système puisse bien remplir ces fonctions, certaines conditions sont essentielles dont: la fin de l'exploitation de la maladie, la participation des gens à tous les niveaux du système et la reconnaissance du rôle social du travailleur de la santé.

La fin de l'exploitation de la maladie: *en régime capitaliste, bien des gens tirent avantage de la maladie des autres; certains font du profit avec la maladie, tandis que d'autres en retirent du pouvoir; l'une et l'autre situations sont inacceptables: la rémunération à l'acte des médecins, la libre entreprise pharmaceutique, les institutions de santé privées sont des moyens de faire du profit qu'une société ne peut accepter sans risques. Quant au pouvoir que certaines personnes tirent de leur situation dans le système de soins (les médecins à l'heure actuelle, par exemple) il s'agit d'un privilège dangereux qui pourrait être atténué par diverses modifications telles que:*

1) *un salaire égal pour tous les travailleurs de la santé, y compris les médecins;*
2) *une sélection de ces mêmes travailleurs exercée majoritairement par les usagers du système de santé et qui tiendrait compte de l'expérience passée dans le milieu et des qualités humaines nécessaires au travail en équipe;*
3) *l'élimination de la hiérarchie telle qu'elle existe à l'heure actuelle;*
4) *la rotation des responsabilités et la limitation des mandats s'y rapportant.*

La participation: *la santé ne s'impose pas à ceux qui n'en veulent pas: tout au plus peut-on forcer l'application de certaines mesures qui évitent quelques risques, mais pas davantage. La santé pour la majorité ne peut résulter que de la prise en charge par la majorité de sa santé. Dans cette optique, la participation n'est plus ce bénévolat qu'on essaie de promouvoir pour tenter d'endiguer la montée fantastique des coûts de santé, mais elle devient la pierre angulaire de la politique de santé.*

Les bénéficiaires du système de santé doivent participer à plusieurs titres: à partir de l'identification des besoins jusqu'à l'orientation de tout le système en passant par sa gestion. Il faut que le lien entre soignants et soignés soit constamment maintenu, ce qui permettra l'adéquation permanente du système de santé avec les fins qu'il vise. Si la population n'est pas impliquée, elle continuera à consommer passivement des soins quand son équilibre sera compromis par la maladie.

La participation doit se faire à plusieurs niveaux: dans des actions de quartier, dans des comités d'étude et de programmation, dans la gestion des cliniques et des hôpitaux. Pour éviter que ne se créent là aussi des pouvoirs indésirables, toutes les tâches de responsabilité devront être électives, le renouvellement des mandats étant limité.

Le rôle social du travailleur de la santé: *imaginer le système de santé comme un lieu isolé relève d'une conception tronquée de la santé; pourtant, c'est exactement ce qui se passe actuellement. Une façon d'illustrer cette idée serait l'image d'un médecin qui ne fournit pas à ressusciter les noyés qu'une rivière lui apporte sans jamais prendre le temps d'aller voir en amont ce qui s'y passe. Il faut trouver des mécanismes qui permettent d'analyser les difficultés individuelles et de voir si en réalité il ne s'agit pas autant sinon plus de troubles collectifs, si le milieu, les conditions de logement, le travail ou d'autres facteurs n'ont pas une causalité importante dans la genèse de ces troubles. Autrement dit, il s'agit de former des travailleurs de la santé qui soient capables de pratiques qui n'individualisent pas constamment les problèmes et qui favorisent la prise en charge maximale de leur santé par les gens, sans pour autant négliger l'attention individuelle quand elle est requise. Ces pratiques verraient à faciliter des regroupements autour des problèmes de santé, des revendications pour le droit à la santé et l'abolition éventuelle des privilèges sociaux des travailleurs de la santé. Nous ne croyons pas que de telles pratiques pourraient se développer ailleurs que dans des centres intégrés de santé dotés de pouvoirs leur permettant une action directe sur les conditions de vie du milieu.*

En résumé, nous avons procédé ici à une brève analyse du rôle et de la formation des médecins dans notre société capitaliste. Leur collusion idéologique et économique avec les intérêts de la minorité dominante en fait collectivement des agents de maintien du statu quo. Ce rôle à tendance élitiste des médecins est fortement encouragé par l'université qui les prépare mal à répondre aux besoins profonds de la population.

Il nous faut donc redéfinir de nouvelles conditions à la promotion de la santé pour la majorité. Ces conditions impliquent des changements politiques majeurs que nous n'abordons pas ici mais sans lesquels le développement d'un système de santé au service de la majorité ne saurait survenir.

En août 1979, nous avons aussi présenté au comité parlementaire sur la santé et la sécurité au travail un mémoire portant sur le Livre blanc et le projet de loi n° 17 sur la santé et la sécurité au travail[1] :

La santé au travail constitue un problème important : les statistiques contenues dans le Livre blanc en font foi. Il devenait impérieux qu'on se penche attentivement sur ce problème. Le débat qui a été engendré par la publication du Livre blanc a permis à de nombreuses personnes, et en particulier aux travailleurs eux-mêmes, de réfléchir sur la question. Mais il faut aller plus loin que la simple émission d'idées ; c'est dans cet esprit que nous avons demandé à nous présenter en Commission parlementaire, dans l'espoir que la loi qui régira la santé au travail réponde le mieux possible aux besoins des travailleurs.

Le Livre blanc sur la santé et la sécurité au travail et le projet de loi qui lui fait suite contiennent des éléments intéressants ; on y sent une certaine volonté de démercantiliser le travail, ce qui nous apparaît essentiel. En effet, le travail constitue certainement l'activité humaine qui occupe la plus grande partie des énergies et qui, dans des

---

1. Ont participé à la rédaction de ce texte : Henri Bellemare, Sylvie Berthiaume, Jean Lapierre, Serge Mongeau, Hélène Poirier, Marc Renaud, Jack Siemiatycki et Jean Thibault.

conditions normales, est extrêmement valorisante. Or à cause des conditions dans lesquelles s'exerce la plupart du temps cette activité, elle devient cause d'aliénation et de maladie. Dans les correctifs qu'il propose, le projet de loi ne va pas assez loin et pas toujours dans la bonne direction à notre avis.

Dans notre Mémoire, nous présentons en premier lieu une critique de la philosophie de prévention des maladies professionnelles qui est sous-jacente au Livre blanc ; par la suite, nous soumettons quelques propositions sur les services de santé en milieu de travail.

I. PRÉVENTION DES MALADIES PROFESSIONNELLES

Le travail peut être une activité enrichissante sur les plans physique et psychologique, mais il peut aussi avoir des conséquences néfastes. De façon générale, on peut distinguer plusieurs genres d'effets nuisibles que peuvent subir les ouvriers en rapport avec leur travail :

1) *les accidents du travail ;*
2) *les effets aigus dus à l'exposition aux produits toxiques ;*
3) *les effets dus à l'exposition à long terme aux agents chimiques et physiques ;*
4) *les effets dus à l'effort constant requis pour faire un travail ardu à long terme ;*
5) *les effets psychologiques et psychosomatiques dus à un travail particulièrement stressant.*

Bien que les propos qui suivent s'adressent particulièrement aux problèmes de l'exposition à long terme aux produits chimiques (ex. : le cancer), nous croyons que les principes de notre critique s'appliquent à un degré moindre aux autres effets. En analysant les principes sous-jacents du Livre blanc, nous démontrerons qu'il propose des solutions fragmentaires et à court terme qui n'affecteront pas d'une manière significative la prévention des maladies professionnelles.

La prévention des maladies professionnelles exige l'élimination systématique de l'exposition à des produits chimiques dans le milieu du travail. Ceci impliquerait une politique gouvernementale favorisant des méthodes de production et de génie qui visent, comme principe de base, une situation où il n'y aurait aucune possibilité d'exposition aux produits chimiques (exposition nulle). Une telle politique est nécessaire parce que la capacité de la technologie moderne d'introduire des nouveaux produits chimiques dans le milieu industriel dépasse (et de loin) la capacité de la science médicale d'évaluer les risques associés à l'exposition à ces produits.

L'exposition nulle n'est pas une proposition utopique. Les ingénieurs chargés de planifier les usines et les procédés industriels doivent avoir comme but l'absence complète de contact entre les ouvriers et les agents chimiques, et ce principe doit être aussi important que la résistance des matériaux utilisés. Chaque nouvel agent chimique doit être considéré comme ayant la possibilité d'être nocif à la santé de ceux qui le manipulent. Ceci est la seule proposition qui permettra la réalisation du contrôle des maladies professionnelles dues à l'exposition à des agents nocifs.

Le régime proposé dans le Livre blanc se donne comme but ultime «l'élimination des accidents du travail et des maladies professionnelles» (page 193) et affirme que «pour atteindre le but poursuivi, il faut s'attaquer à l'ensemble des risques qui existent sur les lieux de travail» (page 193). Le texte avoue que «nos connaissances sont limitées et fragmentaires à l'heure actuelle au Québec, particulièrement dans le secteur des maladies industrielles» mais il promet d'intensifier et de mieux orienter les travaux de recherche relatifs à la santé et à la sécurité au travail (page 196). À plusieurs reprises le texte fait allusion au fait que les programmes de formation, d'information, de surveillance et de compensation seront élaborés à partir de la connaissance des risques professionnels; on prévoit un organisme de recherche et l'établissement d'un système statistique qui serviraient à fournir ces connaissances.

À première vue, cette perspective est fort séduisante car elle semble faire appel à une rigueur toute scientifique. Cependant, nous aimerions faire remarquer que cette perspective repose sur un raisonnement qui est, par définition, voué à de nombreux échecs. C'est ce que nous voudrions expliquer ici.

Deux postulats sont à la base du Livre blanc:

1) *on croit qu'en multipliant les recherches, on arrivera un jour à identifier* tous *les agents de l'environnement qui pourraient être causes de maladies;*

2) *on sous-entend que ne peut être considéré comme «facteur de risque» que ce qui a été démontré scientifiquement comme tel. En d'autres mots, un agent ne peut être considéré comme pathogène que dans la mesure où il a été «prouvé», par des méthodes scientifiques, dangereux pour la santé.*

Examinons d'abord le premier postulat. Celui-ci a de profondes racines historiques. En effet, lors des luttes contre les maladies dites infectieuses (variole, choléra, tuberculose, etc.) à la fin du XIXe et au début du XXe siècle, ce qui affligeait le plus l'humanité, c'était une douzaine de maladies causées par un nombre restreint de micro-organismes. Pour chaque maladie, les chercheurs essayèrent — avec grand succès d'ailleurs — d'isoler, de l'ensemble des agents possiblement pathogènes, le *microbe qui était* la *cause de cette maladie. De telles recherches étaient possibles parce que ces microbes laissaient des traces dans l'organisme humain pour toute la durée de la vie de la personne. Par exemple, une personne atteinte du microbe de la variole portera toujours dans son organisme des anticorps qui sont directement liés à la variole et qu'un chercheur peut arriver à déceler.*

Les maladies dont souffrent aujourd'hui les populations des pays industrialisés ne sont pas, pour la plupart, causées par des micro-organismes. Par exemple, il y a une multitude de facteurs qui prédisposent directement au cancer du poumon: la cigarette, l'amiante, le nickel et, selon toute vraisemblance, une multitude d'autres produits chimiques encore mal identifiés. Le laps de temps pour que se développe une maladie infectieuse n'est en général que de quelques jours et, comme nous l'avons vu, le microbe laisse la plupart du temps des traces indélébiles dans l'organisme. Pour les maladies qui caractérisent notre civilisation, leur apparition après exposition à l'un ou plusieurs des facteurs de risque ne survient en général qu'après plusieurs années. De plus, vingt ans après avoir été exposé au nickel par exemple, un individu peut développer un cancer sans, toutefois, qu'il soit possible d'arriver à identifier dans l'organisme l'agent qui a causé le cancer (le nickel dans notre exemple). Cette caractéristique fait que les recherches destinées à identifier les causes de ces maladies sont très longues, coûteuses et difficiles à réaliser. De plus, dans le domaine de la santé au travail, il ne faut pas oublier qu'il existe des dizaines de milliers de produits chimiques auxquels les travailleurs sont exposés. Dans ce contexte, il est impossible pour les chercheurs de concevoir et de réaliser des recherches capables d'embrasser la gamme extrêmement vaste et complexe des produits dangereux et de leurs effets. C'est ainsi qu'en dépit d'efforts croissants et coûteux pour comprendre l'origine des cancers, nous ne connaissons le potentiel de cancérogénicité chez l'être humain que d'une vingtaine de produits chimiques. Et pour les dizaines de milliers d'autres produits qu'on utilise, on ne sait absolument rien! De postuler, comme le fait le Livre blanc, qu'on arrivera un jour à identifier tous les agents de l'environnement qui pourraient être causes de maladies c'est, au mieux, de la naïveté.

Discutons maintenant du second postulat. Celui-ci affirme qu'il faille scientifiquement prouver qu'un agent est dangereux avant d'agir. Bien sûr, nous ne contestons pas que des preuves scientifiques soient nécessaires à l'avancement de la science. Cependant, à toutes fins pratiques, comme il est impossible de déceler tous les agents nocifs dans l'environnement, ce postulat nous force à vivre avec des poisons, simplement parce qu'on n'a pas prouvé qu'ils étaient des poisons! Dans les actions de santé publique, ne faudrait-il pas au contraire renverser ce raisonnement? Au lieu de toujours postuler qu'un produit chimique quelconque est «innocent» tant et aussi longtemps qu'on n'a pas prouvé sa «culpabilité» — ce qui est le cas à l'heure actuelle —, ne faudrait-il pas, au contraire, poser en principe que tout produit chimique est potentiellement «coupable», tant et aussi longtemps qu'on ne l'a pas prouvé «innocent»? Si l'on veut protéger la santé des travailleurs et travailleuses, on ne peut attendre de savoir si le produit X est dangereux pour l'être humain, parce que cette connaissance surviendra après que des hommes et des femmes auront été exposés et seront tombés malades. Et même quand cette preuve est établie, comme l'exemple de l'amiante le démontre, les intérêts patronaux peuvent facilement retarder l'amélioration des conditions en demandant toujours plus de preuves scientifiques.

S'il est juste de penser que les deux postulats du Livre blanc ne sont pas adéquats par rapport à l'objectif poursuivi, celui d'améliorer la santé des travailleurs, sur quel nouveau postulat devraient être fondées les politiques gouvernementales en matière de santé et de sécurité au travail? Il nous semble que seule une nouvelle philosophie, *basée sur le postulat de* l'exposition nulle, *pourra permettre une véritable protection contre les agents nocifs sur les lieux de travail. Il s'agit de faire en sorte que tous les processus de production, toutes les technologies, toutes les machines soient conçus, dès leur création, de manière à éviter l'exposition à des substances chimiques ou à des agents physiques (l'éclairage inadéquat, le bruit, les vibrations, les variations de température, l'humidité, la pression, les poussières, etc.) qu'ils aient été prouvés dangereux ou non.*

Dans le passé, les compagnies ont trop souvent réagi aux nouvelles normes d'hygiène par du «patchage» des processus de production existants. Plutôt que d'essayer de reconceptualiser l'ensemble du processus de production de manière à supprimer l'exposition à toutes les substances chimiques, on n'a cherché que les moyens d'éliminer l'exposition à la substance que la loi ou les règlements venaient de définir comme dangereuse. Or, il est évident que le «patchage» continuel est plus coûteux que l'invention d'un processus de production qui serait conçu dès le départ pour éliminer toute exposition à toutes les substances. À long terme, un bateau bien construit avec de bons matériaux coûte moins cher qu'un bateau mal construit qu'il faut constamment réparer; et le risque de se noyer est moins grand. Comme l'ont admis deux hygiénistes-ingénieurs de la compagnie Exxon, «early involvement is necessary so that occupational health risks associated with the operations will be reviewed from an industrial hygiene standpoint while changes can still be made easily. Health hazard correction late in design or after construction tends to be expensive.»

Au cours des dernières décennies, il y a eu des améliorations considérables de la technologie des processus de production. Plusieurs sont plus «propres» que dans le passé ou encore moins bruyants. Dans maints cas, ces changements ont été apportés suite à des pressions politiques et syndicales (par exemple, la polymérisation du chlorure de vinyle; les mines et les industries de transformation de l'amiante). Les compagnies se plaignirent alors que les coûts seraient prohibitifs. Bien sûr, les coûts ne furent jamais aussi prohibitifs qu'on l'avait prétendu; c'est le cas, par exemple, de plusieurs usines d'amiante dans le monde. Même que, dans certains cas, la reconceptualisation des processus de production de manière à supprimer l'exposition a amélioré *la productivité; ainsi, dans certaines entreprises de textile. Somme toute, le principe de l'exposition nulle comme paramètre fondamental d'ingénierie des processus de production est loin d'être aussi utopique qu'il paraît à première vue. Occupational Safety and Health Administration des États-Unis a énoncé un projet de loi qui désignerait comme potentiellement cancérigène tout agent chimique qui a été prouvé cancérigène chez les animaux de laboratoire. Ceci augmentera sensiblement le nombre de produits chimiques qui seront soumis à une surveillance législative. Ceci représente un pas dans la bonne direction.*

Est-ce que tout cela veut dire qu'on devrait laisser tomber la recherche médicale dans le domaine des expositions chimiques au travail et la surveillance des risques de maladies? Pas du tout. Il faudra beaucoup de temps avant d'opérationaliser le principe de l'exposition nulle. Entre temps, il faut quand même identifier les problèmes les plus graves pour les éliminer de façon prioritaire. Mais on ne peut pas les identifier si on ne sait même pas quels sont les produits que les travailleurs manipulent. Le capitalisme, par son système de brevets, empêche les scientifiques de déceler les dangers. Il faudrait donc que les travailleurs et les scientifiques aient accès à tous les renseignements techniques qui pourraient aider à connaître les risques pour la santé. Dans la même optique, il faudrait que les travailleurs aient accès aux bilans financiers de l'entreprise; ceci permettrait d'éviter que l'on se réfugie derrière des menaces de fermeture pour refuser certaines mesures d'amélioration des conditions de santé et de sécurité, ou que les propriétaires des industries fassent retomber sur la population tous les coûts des mesures et par la même occasion augmentent les prix et profits. De plus, même dans les meilleures conditions, il sera toujours nécessaire de surveiller continuellement la santé des travailleurs pour s'assurer qu'il n'y a pas de problèmes inattendus. Comme l'exemple de la centrale nucléaire de Harrisburg le démontre, des accidents se produiront même si en théorie toutes les précautions ont été prises.

Même si nous réussissions à éliminer tous les produits nocifs utilisés dans l'industrie, tous les risques reliés au travail ne seraient pas écartés pour autant. En effet, il n'y a pas que les produits chimiques qui peuvent avoir des effets néfastes sur la santé. Tout le processus du travail et les conditions dans lesquelles il se fait affectent la santé mentale des travailleurs et travailleuses et peuvent être mis en cause dans le développement de maladies.

Une foule de situations vécues au travail peuvent occasionner des problèmes de santé : le rythme de travail trop rapide, les surcharges physiques, la posture inconfortable, la tension psychique et nerveuse liée à des manipulations difficiles comportant des risques pour la sécurité, le travail en équipes alternantes et sur roulement (« shift ») et la monotonie du travail.

Dans plusieurs milieux de travail, la parcellisation des tâches est encore à l'ordre du jour. On demande aux travailleurs et travailleuses de répéter sans cesse les mêmes gestes. Ce qui importe n'est pas tant de bien faire son travail comme de le faire vite. On aurait cru qu'avec l'automatisation, certaines tâches particulièrement abrutissantes pourraient être assumées entièrement par des machines ; ce n'est malheureusement pas le cas. Les produits ou les méthodes utilisés changent constamment ce qui implique un renouvellement des tâches qui est plus facile à réaliser avec une main-d'œuvre humaine. À cause de cela, les tâches continuent à être monotones. De plus, ces travailleurs et travailleuses sont dépourvus de toute autonomie ; ils ne sont que rarement consultés dans les prises de décisions et ils n'ont aucun contrôle sur leurs conditions de travail.

Les gens réagissent à cette situation déshumanisante de diverses façons. La monotonie du travail provoque une fatigue nerveuse qui se résorbe moins facilement qu'une fatigue physique. Le niveau de satisfaction au travail augmente avec la complexité des tâches. Dans un système d'organisation du travail où la plupart ne peuvent pas mettre en valeur leurs capacités, une majorité de personnes ne sont pas satisfaites. Ceci affecte grandement leur niveau de santé mentale. Des études ont montré que les problèmes de santé rencontrés chez les travailleurs et travailleuses d'âge moyen ont moins à voir avec la cigarette, la quantité de graisses dans le sang et le manque d'exercice qu'avec l'insatisfaction et le stress physiologique ressentis au travail. Il existe également toute une variété de maladies chroniques et psychosomatiques (maladies cardio-vasculaires, ulcères d'estomac, hypertension, migraine, troubles digestifs, arthrite, etc.) qui peuvent être une réponse au climat difficile vécu au travail. Il est possible d'augmenter considérablement la participation des travailleurs et travailleuses à la gestion et au fonctionnement de leur milieu de travail. Il faudrait aussi s'interroger sérieusement sur la nécessité du système des quarts dans plusieurs usines : les effets néfastes d'un tel système sont tels qu'il faudrait d'autres justifications que le profit pour le maintenir en place.

II. LES SERVICES DE SANTÉ EN MILIEU DE TRAVAIL

Les services de santé qui devraient être mis en place dans les milieux de travail, procédant des mêmes postulats que nous avons précédemment signalés, nous paraissent excessivement médicalisés, et par la présence qu'y occupent les médecins et par l'approche sous-jacente, qui est axée sur les facteurs tangibles et identifiables comme les substances chimiques alors que tous les autres facteurs (organisation du travail, participation, rotation, etc.) sont ignorés.

On insiste beaucoup sur le rôle préventif que devront avoir les services de santé. Malgré cela, le projet de loi laisse entendre que les médecins continueront à jouer le rôle-clé du programme de santé et sécurité au travail: ils sont les seuls professionnels dont la nomination fait suite à une consultation des deux parties, ils décident avec le DSC[1] *de la nature et de la quantité du personnel médical et para-médical, ils sont les seuls professionnels de la santé à pouvoir assister aux réunions du comité paritaire. Or les médecins ne sont pas préparés à jouer un rôle préventif : toutes leurs études sont orientées vers la réparation et même là, il faut bien admettre que les notions qu'ils possèdent sur les maladies du travail sont fort peu élaborées. Pour notre part, nous croyons que les services de santé et sécurité au travail doivent être confiés à une équipe multidisciplinaire où le médecin n'est qu'un membre parmi les autres : animateurs sociaux, hygiénistes, infirmières, ingénieurs, etc.; les travailleurs eux-mêmes devraient aussi avoir des représentants au sein de cette équipe.*

---

[1] DSC : département de santé communautaire.

Si le projet de loi était accepté tel quel, il y aurait de forts risques qu'on trouve, d'un milieu de travail à l'autre, des différences énormes dans la qualité et l'orientation des services qui s'y développent. Aussi croyons-nous que tout le personnel des services de santé en milieu de travail devrait faire partie du réseau public (CLSC — DSC). Cette insertion assurerait la coordination de ses actions et lui permettrait de mettre à contribution les autres travailleurs de la santé et d'ainsi arriver à une approche plus globale des problèmes.

Mais aussi bien organisés soient-ils, les services de santé en milieu de travail doivent répondre aux besoins des travailleurs. Nous n'avons pas la prétention de définir pour les travailleurs quelles devraient être les formes que devrait prendre leur participation ; déjà les centrales syndicales ont présenté leur point de vue sur le sujet, et nous ne pouvons qu'y souscrire car nous croyons essentiel que les travailleurs aient les moyens de participer aux décisions concernant leur santé et leur sécurité. Ceci comprend non seulement le programme de services de santé, la détermination des conditions où il y a danger imminent, le programme de formation et d'information mais aussi les mesures de prévention et d'amélioration des conditions de santé tels le choix des équipements de protection individuelle et les aménagements pour arriver à l'exposition nulle.

Les travailleurs devraient aussi avoir le droit collectif *de cesser de travailler dans des conditions qu'ils jugent dangereuses pour leur santé et leur sécurité, mais aussi pour la santé et la sécurité de la population (pollution, transport de matières dangereuses, etc.).*

Dans notre analyse du Livre blanc et du projet de loi 17, nous avons d'abord tenu compte d'une limite importante de cette politique : elle devra s'appliquer dans un contexte capitaliste. Dans un tel contexte, le contrôle de la production réside entre les mains des patrons ; en particulier, ce sont eux qui ont la prérogative de choisir les processus industriels et de déterminer ainsi une bonne part des conditions de travail. C'est un privilège que les patrons ne céderont pas car il s'agit là d'un élément clé dans la détermination des profits. Néanmoins il faut reconnaître que les forces syndicales et progressistes ont réussi, dans certains cas, à imposer des restrictions à ce pouvoir. Le plus souvent contre les gouvernements, rarement avec leur appui, le mouvement ouvrier a réussi à améliorer les conditions de travail. Le moment nous semble propice pour faire un pas en avant; mais il ne faudrait pas se faire d'illusions en ce qui concerne le contrôle des travailleurs sur la production. Nous croyons que seul un régime démocratique et socialiste peut permettre un contrôle populaire des conditions de travail, et nous sommes loin d'en être là. Entre-temps, il faut maximiser les interventions ouvrières et minimiser les dangers pour la santé des travailleurs et travailleuses. C'est dans cette direction que nous croyons que l'intervention d'un gouvernement ayant un «préjugé favorable face aux travailleurs» devrait se faire. Car c'est ainsi qu'on arrivera à faire du travail l'activité créatrice et épanouissante qu'il devrait être.

Comme on peut le constater à la lecture des divers textes du Collectif (nous sommes aussi intervenus à maintes autres occasions), nous étions extrêmement critiques vis-à-vis de la pratique médicale, des divers services de santé et du gouvernement. Assez curieusement, jamais les médecins n'ont répondu à nos accusations. Ils préféraient sans doute que nos idées tombent au plus tôt dans l'oubli, c'est moins dérangeant. Une fois encore, ils manifestaient leur profond mépris de la population en refusant de discuter sur la place publique de ces problèmes que nous soulevions et en préférant poursuivre leur lobbying pour continuer à maintenir ou même augmenter leurs privilèges.

CHAPITRE 9

LA LUTTE SUR DIVERS FRONTS

Au printemps 1977, Françoise Rousseau, une des représentantes des usagers au conseil d'administration du CLSC, me racontait l'expérience qu'elle venait de vivre. Quelques mois auparavant, elle s'était coupée à un doigt, un dimanche, et s'était rendue à une polyclinique de la Rive-sud ; un médecin avait alors suturé sa plaie. La semaine suivante, il avait enlevé les sutures ; Françoise avait alors noté que son doigt demeurait à demi plié. Le médecin avait tenté de la consoler en lui disant que ce n'était que le petit doigt et que de toute façon, elle en possédait neuf autres. Françoise travaillait au département de radiologie de l'Hôtel-Dieu de Montréal ; un jour qu'elle donnait des films à un médecin, celui-ci a noté son doigt replié et lui a demandé ce qui s'était passé. Françoise lui a raconté sa mésaventure et le médecin ne s'est pas gêné pour vilipender l'incompétent qui avait refermé les plaies sans réparer le tendon coupé ; comme l'accident était relativement récent, il était peut-être possible, d'après lui, de réouvrir la plaie et de tenter d'anastomoser les deux segments de tendon. Françoise a été opérée et elle a fait de la physiothérapie pendant de longues semaines. Elle n'a pas retrouvé sa flexibilité parfaite, mais presque.

C'est parce qu'elle travaillait dans un hôpital et qu'un médecin a noté par hasard son doigt croche que Françoise a pu réparer en partie l'erreur du médecin vu en situation d'urgence. Et quoi que dise ce médecin, ce petit doigt était important, surtout pour Françoise qui commençait à apprendre le piano et qui, dans son travail de classification de films de radiologie, se sert constamment de ce doigt. C'est parce que j'étais médecin que j'ai pu éviter à un de mes fils une opération soi-disant pour aller chercher un testicule qui n'était pas descendu, alors que ce testicule était bel et bien présent là où il devait être. Et quand nous avons vérifié dans notre entourage, nous avons vite constitué une collection d'histoires d'erreurs médicales plus ou moins importantes, mais dont certaines étaient dignes d'un musée d'horreurs. Nous nous sommes dits que tous ne pouvaient faire un cours de médecine ou de nursing ou travailler dans un hôpital pour arriver à se protéger des manquements de ceux qui ont à charge de nous soigner. Nous avons décidé de former une association de défense des malades.

Après un travail de déblayage et de recrutement de quelques mois, nous convoquions en août 1977 une assemblée de fondation de l'Association québécoise pour la protection des malades. Une vingtaine de personnes étaient présentes et les premières bases du mouvement furent décidées. Dès l'année suivante, je dressais, lors de notre assemblée annuelle, un bilan relativement négatif de notre action :

> *Dans notre société, il n'existe pas, en fait, de système de santé; ce que nous possédons, c'est un système de lutte contre la maladie, et encore, ce système est mauvais. Quand on réclame plus de services ou une meilleure accessibilité à ces services, on lutte souvent pour améliorer un système qui est foncièrement mauvais. Pour favoriser la santé, il faudrait un ensemble de mesures positives que nous ne trouvons pas dans le système de soins actuel. En*

effet, notre «système de maladie» intervient quand les gens sont malades et la plupart de ceux qui œuvrent dans ce système ont tout intérêt à ce que les malades continuent à être malades.

Pour avoir un système de santé qui nous convienne vraiment, il me semble que des types nouveaux d'actions s'imposent tant dans le domaine curatif que dans la prévention.

Quand les gens sont malades, au lieu de lutter contre une maladie ou un microbe, on devrait tenter de les renforcer pour qu'ils puissent eux-mêmes combattre la maladie. Donc, les aider à :

- *se désintoxiquer ;*
- *se reposer ;*
- *se libérer des diverses contraintes qui sont sources de stress ;*
- *avoir des relations sociales épanouissantes ;*
- *se reconstruire sur des bases plus solides par une alimentation saine et des exercices adaptés.*

Un tel système de santé devrait tenter, dans la mesure du possible, de permettre aux gens d'éviter les maladies en intervenant dans les divers lieux pathogènes :

- *au travail, en identifiant et en éliminant les dangers physiques, et en cherchant les moyens de diminuer le stress et la déshumanisation qui caractérisent trop de milieux de travail ;*
- *au foyer, en fournissant par exemple des moyens pour résoudre les conflits entre parents ou avec les enfants, en multipliant les loisirs accessibles qui favorisent les relations sociales, l'exercice physique et la relaxation ;*
- *à l'école, en voyant à ce que les jeunes y trouvent des structures et des activités qui correspondent réellement à leurs besoins ;*
- *dans la vie politique, pour que les gens aient l'occasion d'exprimer leurs besoins et qu'ils développent le sentiment de leur importance.*

La réorientation du système de soins ne s'effectuera pas spontanément, les divers soignants n'ayant pas intérêt à ce que la situation change. Le système de soins évoluera quand les usagers décideront massivement de prendre les moyens pour se réapproprier leur santé, quand ils se prendront en charge et cesseront d'avoir une confiance aveugle dans les professionnels. Ce devrait justement être le rôle de notre association de fournir aux usagers les moyens pour arriver à ce changement d'attitude. Nous devrions

- *diffuser massivement le plus d'information possible ;*
- *nous doter d'une organisation efficace qui puisse faire les pressions et revendications qui s'imposent ;*
- *multiplier les foyers d'action, tant au niveau géographique que par secteur d'intérêt (les médicaments, les opérations chirurgicales inutiles, etc.).*

Après un an de fonctionnement, force nous est de constater que nous sommes loin de cet idéal. Nous avons en effet beaucoup de difficulté à obtenir que nos membres s'impliquent dans les diverses tâches que nous voudrions accomplir ; de plus, nous recrutons fort peu de nouveaux membres. Il semble que les personnes non malades s'excluent de notre association...

Les personnes présentes à l'assemblée annuelle ont approuvé cette analyse et nous avons décidé de quelques actions en conséquence, y compris celle de changer notre nom pour devenir l'Association québécoise pour la promotion de la santé.

Au CLSC St-Hubert, où je poursuivais mon travail comme directeur général, nous continuions à sentir les effets de la période tourmentée qui avait caractérisé les derniers mois de 1976. Certes il n'y avait plus de conflit ouvert, mais il persistait un certain climat d'hostilité. Les stratèges du syndicat des employés du CLSC s'étaient intoxiqués des analyses gauchistes qui décrivaient les CLSC comme des structures de récupération et ils avaient décidé que notre CLSC, pas plus que les autres, ne servirait véritablement à faire avancer les intérêts de la classe ouvrière. Ils se cantonnaient donc dans leurs tâches traditionnelles et refusaient presque toute idée nouvelle. Ils s'efforçaient de me limiter à mon rôle d'administrateur, ce à quoi je ne pouvais évidemment me résoudre. Mais on ne peut forcer la collaboration ; en attendant qu'il redevienne possible de faire équipe et de poursuivre l'exploration de nouveaux moyens d'atteindre les objectifs du CLSC, j'ai dû orienter ailleurs mes efforts. Je l'ai fait en militant pendant un certain temps pour la promotion de la bicyclette et en continuant à m'impliquer dans la Fédération des CLSC.

J'ai toujours éprouvé, face à la bicyclette, une sympathie que d'aucuns qualifiaient d'exagérée. Déjà au collège les confrères rigolaient bien de me voir arriver à bicyclette en plein hiver, tempête de neige ou non. J'ai toujours continué à faire sourire ; quand je me rendais à bicyclette aux réunions de directeurs généraux, quand, à 30° C sous 0, je survenais au CLSC la barbe couverte de givre, ... La bicyclette, pour moi, ce fut toujours un instrument de transport fort utile ; l'hiver, à l'utilité s'ajoutait le jeu. J'utilisais ma bicyclette parce que cela me plaisait. Avec les années, j'allais découvrir d'autres raisons de l'employer et surtout d'inciter les autres à le faire. En février 1977, j'écrivais, avec Daniel Cousineau, l'article suivant dans *CLSC Santé* :

BICYCLETTE ET SANTÉ

Les trois grandes causes de mortalité en Amérique du Nord sont, dans l'ordre, les maladies cardio-vasculaires, le cancer et les accidents de la circulation. Ce sont incontestablement des maladies de la civilisation face auxquelles la médecine traditionnelle doit s'avouer pratiquement impuissante ; elle intervient en effet quand le mal est fait, ne prolongeant le plus souvent que de quelques années la victime qu'on a remise entre ses mains. Dans les CLSC, nous sommes à la recherche d'actions préventives, c'est-à-dire qui empêchent la maladie de se produire. La promotion de l'usage de la bicyclette nous paraît répondre à plusieurs titres aux critères d'une bonne activité préventive. Voyons les effets qu'on pourrait en escompter sur les trois principales causes de mortalité.

La bicyclette — et l'exercice en général — permet de développer le muscle cardiaque et diminue le risque d'y développer une maladie cardio-vasculaire. La bicyclette, tout comme d'ailleurs le jogging et la natation, fait travailler les muscles longs des jambes qui en même temps exigent le plus grand effort du cœur, amenant ainsi son développement progressif. Pratiquée régulièrement, la bicyclette aide aussi à lutter contre l'embonpoint, autre facteur de risque cardiaque. Par la bicyclette, on se débarrasse d'une partie de son agressivité, cette activité devient un exutoire à la tension créée par la vie moderne, et là encore c'est un autre facteur des maladies cardiaques qui s'élimine. Enfin, quand par malheur la maladie est survenue, la bicyclette peut devenir un excellent moyen de réhabilitation ; dans ce cas, il faudra évidemment procéder avec prudence. On ne connaît pas tout du cancer, loin de là. Mais de plus en plus on découvre des liens étroits avec la pollution, en particulier en ce qui regarde le cancer pulmonaire. Une bonne part de la pollution atmosphérique vient des automobiles : plus de transport à bicyclette, moins d'automobiles et moins de parcs de stationnements, donc plus de verdure et meilleure élimination du bioxyde de carbone, moins de pollution et moins de cancer.

Si tout le monde roulait à bicyclette, il n'y aurait plus d'accidents de la circulation : autant de morts et surtout de blessés de moins. La bicyclette ne fait pas qu'éliminer certains risques de maladies : elle donne de l'énergie. Supposons que vous vous réveillez le matin avec 100 unités d'énergie à dépenser dans la journée ; vous êtes un Québécois typique, sédentaire et un peu bedonnant. Après votre journée de travail, vous avez dépensé 90 unités d'énergie. Il ne vous reste que 10 unités, juste de quoi passer une soirée tranquille, trop tranquille en ne pensant qu'au moment où vous irez vous coucher. Avec la pratique régulière de la bicyclette, vous auriez de meilleurs muscles, un cœur moins paresseux. Avec votre nouveau corps reconditionné et plus solide, la journée de travail « tombe moins sur le système », le rendement est meilleur. À la fin de la journée, il ne reste pas 10 mais plutôt 30 unités d'énergie, car pour effectuer exactement le même travail, vous n'avez utilisé que 70 unités au lieu des 90 antérieures. La soirée est plus agréable. Mais attention ! Ça prend un peu de temps pour un « tune up ». N'oubliez pas que lorsque vous achèterez votre bicyclette et que vous ferez vos premières ballades, ça va vous prendre quelques unités d'énergie et des 10 unités qui vous restaient en fin de journée, il n'en restera que 3 ou 4. Mais après quelques semaines (et c'est là où il faut persévérer) vos jambes seront plus fortes et votre cœur plus vigoureux. La journée de travail sera plus facile pour le nouvel athlète que vous serez et vous commencerez la soirée avec 30 unités d'énergie.

En somme, l'usage accru de la bicyclette ne peut apporter que des bénéfices pour la santé; ceci est vrai en autant qu'on puisse pratiquer la bicyclette sans danger, ce qui n'est actuellement pas le cas dans notre société de consommation axée sur l'automobile individuelle. C'est pourquoi il faudra de multiples efforts pour arriver à donner à la bicyclette la place qui lui revient. Les CLSC pourraient s'engager aux côtés des mouvements qui militent déjà dans ce sens et même ils pourraient contribuer à développer la conscience des vertus de la bicyclette et susciter la création de mouvements destinés à sa promotion. Car la bicyclette se prête admirablement à la prévention: elle est tour à tour moyen de transport et instrument de loisir, elle ne coûte pas trop cher, elle convient à tous les âges. Quoi de plus agréable que de faire son exercice tout en effectuant ses courses ou en se rendant à son travail?

De longues luttes nous séparent d'une société où la bicyclette aura droit de cité; il faudra se battre pour des pistes cyclables, des stationnements gardés, des transports en commun qui complètent bien la bicyclette, etc. Plus nous serons nombreux à lutter, plus nous y arriverons vite.

À côté de cet article, j'en avais écrit un autre qui expliquait l'implication du CLSC St-Hubert dans la promotion de la bicyclette. Nous avions en effet contribué à la mise sur pied d'un regroupement de cyclistes sur la Rive-sud, «La Rive-Sud à bécane», et nous continuions à faire pression pour que la municipalité accepte d'aménager un réseau de pistes cyclables.

À l'automne 1978, je publiais dans la revue *Possibles* un article où, pour une fois, je me permets de me laisser aller. Car aussi curieux qu'il puisse paraître, je me sens aliéné dans ma capacité de m'exprimer; je ne possède pas, en tant que Québécois, de langage propre et je me sens constamment déchiré entre le français québécois qui me vient aux lèvres et le français que je dois écrire. De plus, je continue à traîner mes réflexes d'universitaire: ma «formation» scientifique m'a appris à ne pas être audacieux et à ne pas faire d'«affirmations gratuites»; je ne suis pas libre dans l'écriture. Voici donc le texte en question:

LA BICYCLETTE DANS LA VILLE

La bicyclette à Montréal?

Un chien dans un jeu de quilles.

Le Capital vs l'Homme. La croissance effrénée vs la jouissance. L'agitation frénétique vs la convivialité. L'automobile contre la bicyclette.

Il faut être téméraire, anachronique et militant pour faire de la bicyclette à Montréal, au Québec pourrait-on dire; mais Montréal constitue sans doute l'épicentre du phénomène.

Il est dangereux de se promener à bicyclette dans une ville aménagée et pensée pour les automobiles et où les automobilistes se savent rois et maîtres: ils vous coupent, vous frappent, et par-dessus le marché vous invectivent sans même qu'il n'y ait de raisons pour le faire; vous êtes dans leurs *rues, vous les dérangez (par votre seule présence).*

La ville a été donnée en pitance aux automobilistes: ils la déchirent de leurs autoroutes, ils la carient de leurs stationnements qui s'étendent constamment, ils la noircissent et la corrodent avec leurs gaz d'échappement, ils l'assourdissent avec leurs moteurs, leurs klaxons et leurs pneus, ils l'encombrent au point de refouler sur d'étroits trottoirs ceux pour qui la ville a été bâtie.

Chaque année, des centaines de cyclistes sont heurtés par des véhicules-moteur. Par négligence des conducteurs, par manque de facilités pour les cyclistes. Dans d'autres villes, les cyclistes disposent de voies séparées pour circuler, de travées isolées sur les ponts pour traverser les rivières, de feux de circulation qui leur donnent priorité quand ils doivent croiser des voies pour automobiles. Ici, rien de tout cela. C'est comme si c'était la guerre ouverte entre les automobilistes et les cyclistes. C'est *la guerre ouverte! S'il fallait que les cyclistes gagnent du terrain, ce serait aux dépens des automobilistes; alors ceux-ci écrasent toute velléité des cyclistes de conquérir quelque avantage que ce soit.*

Mais pourquoi cette lutte acharnée?

L'auto, c'est le symbole et en même temps le fondement du capitalisme moderne. La bicyclette, c'est l'antithèse. Si la bicyclette vainc, le capitalisme ne pourra survivre. Ce n'est pas ce que chaque automobiliste se dit ; mais il a bien intégré les enseignements de ses maîtres à forger l'opinion, il est bien aliéné et travaille bien à défendre ces avantages dont il se croit redevable au capitalisme.

La bicyclette, c'est la santé sans pilules, sans cliniques, sans tout cet appareil technologique moderne qui fait la fierté de notre médecine et les profits des multinationales.

La bicyclette, c'est le temps de vivre : les déplacements urbains plus rapides, la fin des paiements mensuels pour l'achat de l'auto et pour son entretien, la fin de tous les commerces de soi-disant conditionnement physique. Mais si les gens prennent le temps de vivre, s'ils n'ont plus autant besoin de gagner, où prendra-t-on les esclaves pour faire marcher les machines à profit ? La bicyclette, c'est la fin de l'isolement, c'est la communication. Mais alors, cela pourrait être aussi la fin de la politique professionnelle, celle des « délégués » qui prennent les décisions à notre place ? Les grandes compagnies ne pourraient plus avoir leurs « gérants » municipaux, plus de Drapeau ? La bicyclette, c'est l'harmonie avec la nature ; ça ne détruit pas, et ça n'utilise pas beaucoup de ressources. Ça n'est pas bon pour le PNB et pour la circulation de l'argent.

Non, décidément, le Capital ne peut tolérer la bicyclette.

L'automobile est la plus grande industrie du monde occidental. L'économie des pays capitalistes est fondée sur cette industrie et les autres qui lui sont connexes (construction de routes, etc.). On a organisé l'automobile pour qu'elle soit et continue à être la plus grande source de profits : on change constamment les modèles, on s'arrange pour que les moteurs et les carrosseries ne durent qu'un temps limité, on sabote les transports publics pour qu'ils soient inconfortables et inefficaces, on fait des villes qui s'étendent à n'en plus finir et obligent à se motoriser.

L'automobile est le principal instrument d'asservissement du capitalisme. Son accessibilité (par les facilités de crédit surtout) répand l'illusion démocratique. Sa surpuissance (telle qu'on ne peut jamais l'utiliser à plein) constitue un excellent dérivatif pour compenser l'absurdité et l'insignifiance de la vie des masses. Son confort qui amène la suppression de tout effort physique abrutit et développe le besoin de consommation, ce qui permet de faire tourner la roue et surtout oblige à travailler toujours plus pour gagner plus... et dépenser plus.

Si les capitalistes veulent continuer à faire du profit, l'automobile ne doit pas disparaître. Ses alternatives — la bicyclette et le transport en commun — ne doivent alors pas se développer.

Le complot se trame,administrateurs de multinationales et administrateurs municipaux devenant complices: tout sera développé en fonction de l'automobile et il ne restera rien pour la bicyclette et des miettes pour le transport en commun. Pas de pistes cyclables, pas de stationnements sécuritaires, pas d'accès au métro pour les cyclistes, pas de mesures efficaces pour empêcher les vols. Du côté des multinationales, production de bicyclettes «gadgétisées» et inadaptées à notre climat et de moins en moins solides.

Et la boucle se referme: l'usage de la bicyclette devenant toujours moins agréable et plus dangereux, moins de gens osent s'y aventurer; la «demande» étant faible, les autorités municipales se consacrent à répondre aux requêtes incessantes et insatiables de la «majorité»; et les cyclistes continuent à être laissés pour compte.

Mais les cyclistes n'ont pas dit leur dernier mot.

Ils commencent à comprendre qu'ils ne sont pas que des victimes de négligence, mais qu'ils sont victimes d'une oppression qui ne cessera tant que régnera la loi du profit dans notre société. Comme tous les opprimés qui prennent conscience, ils comprennent aussi qu'ils ne pourront se libérer seuls. Qu'il faudra s'unir entre cyclistes, avec les écologistes, avec les autres opprimés. Qu'il ne faut pas attendre passivement les changements souhaités; ils s'organisent, manifestent, harcèlent le pouvoir, sensibilisent à leur cause. Qu'ensemble ils devront congédier ces politiciens traîtres vendus aux intérêts du profit, qu'ensemble ils devront se reprendre en main, s'auto-administrer, s'autogérer. Et alors ils pourront enfin faire cette ville pour les femmes, les hommes, les enfants, les handicapés, les vieillards, les marginaux et tous les autres, à la place de cette ville pour les automobiles qui est si invivable qu'à la première occasion, les automobilistes la fuient! C'est ça la vélorution.

Sur la même lancée, j'écrivais ce billet, qui ne serait pas publié :

COURBONS L'ÉCHINE, MES FRÈRES

Patrick Robidas est mort.

Il avait 16 ans.

C'est arrivé l'été dernier, alors qu'il se promenait à bicyclette.

Patrick était le fils du maire de Longueuil.

Alors on lui a fait de grosses funérailles à l'église St-Charles de Longueuil. Avec d'autres cyclistes, j'y suis allé ; il fallait montrer à M. Robidas que nous partagions sa peine. Il fallait encourager M. Robidas à continuer ses efforts pour doter Longueuil d'un réseau complet de pistes cyclables. Il fallait lui dire de ne pas lâcher après ce qui venait d'arriver à son fils ; au contraire, même, de redoubler ses efforts.

Nous espérions bien que cette foule de plusieurs centaines de personnes réunies autour du cercueil de Patrick réagirait, que les gens s'indigneraient et qu'ils tenteraient d'éviter que d'autres Patrick tombent, victimes de l'automobile.

La rage m'habitait. Que s'était-il passé au juste ? Patrick avait-il été imprudent, avait-il eu affaire à un de ces maniaques du volant qui prennent plaisir à frôler les cyclistes ou qui les ignorent tout simplement ? Ou quoi encore ? Mais au fait, peu importe. Cet automobiliste n'est pas responsable ; il n'est qu'un produit de notre civilisation, la civilisation de l'automobile dévoreuse d'espace, de temps, de matières premières et surtout de vies humaines. Mais comme l'auto produit aussi de gros profits, alors on camoufle ses tares et dangers et on continue à promouvoir son usage croissant. Même si cela nous mène à la catastrophe. Mais c'est demain qu'on fera les comptes, alors pourquoi se préoccuper ?

Demain les comptes ? Et cette mort de Patrick, elle est bien d'aujourd'hui ! Cette mort qui est loin d'être unique.

Il faut déjà commencer à réagir, à remettre à sa place l'automobile, qui ne devrait être qu'un instrument de *transport, et non une* fin. *L'occasion est excellente : tous ces gens réunis à cause de la mort de Patrick ne peuvent être indifférents. Justement, le prêtre qui préside l'office commence à parler; il dit bien ce chagrin que tous nous ressentons. Mais bientôt il prend une toute autre direction que celle que j'espérais. Au lieu de s'indigner de la mort de Patrick, il nous dit qu'il faut l'accepter comme un phénomène naturel; comme si c'était naturel de mourir à 16 ans! Il nous dit que Patrick est parti pour un monde meilleur, et que nous devons l'envier. Si Patrick s'était suicidé, s'il avait choisi lui-même le passage vers un autre monde, ce serait différent. Mais tel n'est pas le cas. Patrick a été assassiné contre son gré et nous ne devons pas accepter cela. Une fois encore, l'Église catholique exerce sa fonction pacifiante; empêchant la révolte, elle aide au maintien du statu quo. Les multinationales de l'auto et du pétrole peuvent continuer à nous imposer le mode de vie qui* leur *convient parce qu'il leur assure les plus grands profits, nous ne devons pas nous révolter. Que l'automobile tue violemment ou qu'elle nous détruise à petit feu, ce n'est que normal. Peut-être faudrait-il même remercier les automobilistes de nous aider à passer plus vite dans ce «meilleur monde»?*

Nous sommes ressortis de l'église tristes, résignés et individuels. Le Capital et son alliée, l'Église, avaient réussi.

«La Rive-Sud à bécane» était parvenue à réunir un bon noyau de militants convaincus; je me suis retiré en douce.

À la Fédération des CLSC, je continuais à faire partie de l'équipe de *CLSC Santé*; d'autre part, je tentais d'opérer, avec d'autres directeurs généraux, un regroupement des directeurs généraux «progressistes».

Après quelques balbutiements, nous avions trouvé, à *CLSC Santé*, une formule qui nous a permis de produire d'excellents numéros: «Les médicaments» («petit manuel à l'usage de ceux qui sont tannés de vivre aux crochets des médicaments et qui veulent s'en sortir»), «Femmes et santé», «Nouvelles pistes en santé», «Accoucher à son goût», «Un rythme bien à soi» («Que faire contre le stress»), «Le plaisir de manger», «Pouvoir... dans nos institutions», «C'est notre vie... après tout!» (sur les adolescents) et finalement «Vers une saine folie!» («Du psychiatrique à la santé mentale»). Pour la rédaction de chaque numéro, nous formions une équipe de personnes impliquées dans le domaine concerné avec laquelle nous élaborions un plan, puis demandions la rédaction des divers articles décidés. Par la suite, l'équipe de rédaction révisait tous les textes et donnait une unité à l'ensemble. Nous voulions ainsi fournir à la population des instruments qui lui permettraient de progresser vers la prise en charge de sa santé; de nombreux CLSC ont utilisé plusieurs de nos numéros dans leurs divers programmes.

En ce qui regarde le regroupement des directeurs généraux, l'idée nous en était venue à quelques-uns, lors des rencontres au sein de la Fédération. Aux débuts de la Fédération, on sentait une certaine unité d'orientation chez les directeurs; il était clair que la majorité d'entre eux n'étaient pas des administrateurs de carrière uniquement préoccupés de rendement et d'efficacité. Pour la plupart, il s'agissait de types du genre «animateur», comme les qualifiait alors le ministère des Affaires sociales; ces gens occupaient ces postes parce qu'ils les percevaient comme stratégiquement importants pour tenter de faire avancer certaines idées auxquelles ils croyaient. Le ministère des Affaires sociales n'était pas habitué à ce genre d'administrateurs qui détonnaient énormément des directeurs d'hôpitaux ou de centres d'accueil avec lesquels il avait l'habitude de transiger; aussi se mit-il à intervenir de plus en plus souvent pour faire comprendre aux conseils d'administration des CLSC (qui sont responsables de l'engagement du directeur général) qu'ils devaient davantage orienter leur choix vers des administrateurs «qualifiés». Le résultat n'allait pas tarder à se faire sentir, car le bailleur de fonds possède toujours des arguments puissants... À mesure que des directeurs de CLSC partaient et qu'ils étaient remplacés, on sentait, aux assemblées des directeurs généraux, un glissement vers des préoccupations de plus en plus administratives... et de plus en plus à droite.

Nous ne pouvions, comme le ministère des Affaires sociales, intervenir dans le choix des directeurs généraux ; mais nous avons pensé que nous serions capables d'empêcher ceux qui étaient déjà en place d'abandonner leur poste. Car la « moyenne de vie » des directeurs généraux était brève ; placés au confluent des luttes entre la volonté centralisatrice du ministère et le désir d'autonomie du conseil d'administration d'une part, et de l'autre côté entre les revendications des citoyens et l'autonomie des employés, les directeurs généraux s'usaient vite et démissionnaient rapidement. Après avoir identifié une quinzaine de directeurs généraux qui semblaient partager un certain nombre d'idées comme une attitude foncièrement pro-syndicale, une volonté claire de donner le maximum de pouvoir aux usagers et une recherche de voies nouvelles et mieux adaptées d'intervention, nous avons convoqué ces gens et avons entrepris de réfléchir collectivement sur les problèmes que nous rencontrions et les moyens d'y faire face.

C'était réconfortant de sentir que nous n'étions pas complètement seuls chacun de notre côté. D'ailleurs, il nous semblait important de s'appuyer ainsi les uns les autres, car nous sentions bien qu'à mesure que des conflits éclataient et que les directeurs généraux partaient, les conseils d'administration avaient tendance à « rentrer dans le rang » et à s'orienter vers des services et fonctionnements plus traditionnels, qui risquaient d'être moins conflictuels. Avec le temps, nous risquions ainsi de perdre notre originalité. Les CLSC « d'avant-garde » devenaient de plus en plus isolés et leur efficacité s'en trouvait d'autant réduite car face aux autres intervenants en santé, ils apparaissaient comme marginaux et sans crédibilité.

Nous nous sommes ainsi rencontrés à quelques reprises ; mais nos réflexions et notre solidarité ne suffisaient pas à éviter les démissions ; il y a aussi le fait que dans notre société, on favorise davantage l'action que la réflexion. Après quelques mois, le temps a manqué à certains qui étaient sollicités par les tâches concrètes qu'entraîne la fonction de directeur général. Si bien qu'à une réunion, je me suis retrouvé seul ; et j'ai cessé de convoquer des rencontres.

À l'été 1978, j'écrivais dans mon journal:

Suite à une longue réflexion, j'ai finalement résolu de laisser le CLSC en janvier prochain; et déjà je me sens libéré! Je ne l'annoncerai qu'en septembre, cependant.

Libéré, parce que je récupérerai beaucoup de temps et surtout que je me sortirai d'une situation dans laquelle, vu la conjoncture québécoise, je ne puis être à l'aise. Car je suis «patron», et dans la polarisation actuelle, cela signifie que je suis l'ennemi; aussi bon que je veuille être; et sans jamais pouvoir l'être trop, car alors je deviendrais paternaliste.

Il y a aussi autre chose: je me rends compte qu'une portion de plus en plus importante de mon temps doit être consacrée à des tâches qui relèvent uniquement de la gestion: le CLSC a été réorganisé depuis quelques mois, l'équipe de direction a été renforcée et nous avons vraiment pris la situation en main; il n'en pouvait être autrement si on ne voulait pas que la boîte éclate. Mais en même temps il faut mettre en place des mécanismes de mieux en mieux adaptés, mais qui me prennent de plus en plus de temps; et ce n'est pas pour faire de la gestion que j'ai pris ce travail. Je reconnais cependant qu'il faut le faire; d'autres s'en chargeront.

Je jouissais d'une grande liberté au CLSC; j'y travaillais souvent à des causes que de toutes façons je défendrais si je n'y étais pas; mais je crois bien que rien ne m'empêchera de continuer une certaine forme de collaboration avec le ou les CLSC, quand les causes en vaudront la peine; et pour les autres travaux pour lesquels ma position au CLSC m'était précieuse, je me débrouillerai autrement.

Enfin, une fois encore je vais retrouver ce si précieux temps pour lire et écrire à mon goût. Et cette fois-ci j'espère résister assez longtemps avant de me lancer dans un travail à la semaine (rémunéré); il me semble que je devrais assez facilement arriver à vivre de ma plume; d'une pierre, je ferais deux coups car je pourrais travailler par mes articles à faire avancer la cause du socialisme.

Comme j'avais l'intention d'écrire dans le domaine de la santé, j'étais déjà quelque peu envahi par ce thème. Un jour, j'eus l'idée d'interroger sur ce sujet un groupe d'enfants de l'école que fréquentait ma fille (l'école optionnelle Les Petits Castors, à Longueuil). J'ai demandé à ces enfants de cinq à dix ans (ils étaient six ou sept) ce que représentait «être en santé», d'après eux. Voici les idées émises à cette occasion:

- bien manger
  - équilibrer son alimentation
  - ne pas manger trop de matières grasses ni de sucreries
  - manger des fruits et des légumes
- faire de l'exercice, du sport, prendre l'air
- savoir se détendre; bien dormir, et dormir assez longtemps
- se laver les dents
- être heureux
  - ne pas être en chicane
  - s'amuser, faire la fête de temps à autre
  - fabriquer des choses, créer
  - avoir des amis, aimer et être aimé
  - se reposer, relaxer
  - faire plaisir aux autres
  - prendre soin de quelque chose, avoir des responsabilités
  - avoir des enfants.

Les enfants confondaient résultats et moyens, mais peut-on le leur reprocher? Comment se fait-il qu'en vieillissant, on oublie toutes ces excellentes idées?

En janvier 1979, j'envoyais la lettre suivante à Monique de Gramont, de la revue *Châtelaine* (la lettre fut publiée en partie dans le numéro d'avril):

Chère Mme de Gramont,

J'ai lu avec grand intérêt dans le Châtelaine *de janvier le compte rendu de votre entrevue avec le docteur Gilles Mercier, porte-parole de l'*Association des gynécologues-obstétriciens. *Et j'en demeure abasourdi! Est-il vraiment possible que ce soit là le point de vue de la majorité des gynécologues du Québec? Entre quelles mains devez-vous vous remettre, mesdames!*

Les gynécologues-obstétriciens s'affichent «violemment» contre l'accouchement à domicile, dans quelques conditions qu'il se fasse ; ils attribuent à l'usage croissant de leur technologie la diminution de la mortalité maternelle et néo-natale. Et à l'appui de leurs affirmations, ils citent quelques statistiques américaines incomplètes. Étant à préparer un article sur le sujet, j'ai pu lire les résultats de plusieurs recherches faites dans divers pays (y compris les États-Unis) qui montrent que :

— *lorsque l'accouchement à domicile est fait dans de bonnes conditions et qu'on a éliminé les grossesses à risque, la mortalité maternelle est égale à domicile et à l'hôpital, cependant que la mortalité néo-natale est* plus élevée *à l'hôpital ;*
— *l'amélioration des statistiques de la mortalité maternelle et de la mortalité néo-natale est bien davantage due à l'amélioration des soins prénatals, de l'alimentation, de la contraception et de quelques autres facteurs généraux qu'à l'intervention croissante des gynécologues-obstétriciens ;*
— *les gynécologues-obstétriciens ont de plus en plus tendance à intervenir dans le processus de l'accouchement ; au Québec par exemple entre 1971 et 1976 les césariennes ont augmenté de 83%, les épisiotomies de 45%, les anesthésies épidurales de 68% (alors que les anesthésies générales ne baissaient que de 46%) ;*
— *les techniques modernes d'accouchement (et en particulier la séparation rapide mère-enfant) sont traumatisantes pour l'enfant et auraient des conséquences durables sur son développement psychomoteur.*

Le Dr Mercier cite quelques statistiques touchant quatre États américains qui démontreraient le danger que représente l'accouchement fait à l'extérieur de l'hôpital ; ces États ne possèdent aucune organisation efficace pour faire des accouchements à domicile et je me doute bien du type d'accouchements dont il s'agit ; personnellement, j'ai fait plusieurs accouchements à domicile quand j'ai commencé à pratiquer la médecine à St-Hubert. Les femmes que j'aidais à accoucher à la maison étaient pour la plupart des femmes dans l'extrême misère qui ne pouvaient quitter la maison parce qu'elles n'avaient personne pour garder leurs autres enfants. Je n'ai participé à aucun accouchement à la maison qui ait été librement choisi ; et je suis bien sûr que c'est le même cas pour la majorité des accouchements qui se font à la maison aux États-Unis, surtout qu'un accouchement à l'hôpital y coûte plus de 1 000 $!

Quoi qu'en pensent nos gynécologues-obstétriciens, l'accouchement n'est pas une maladie ni les femmes des machines à faire des enfants. Les femmes en ont assez d'être des objets et de plus en plus elles décident de se prendre en mains et d'accoucher à leur goût; ce qui malheureusement ne peut presque plus se faire à l'hôpital. Châtelaine *doit continuer à appuyer cette lutte qu'ont entreprise les femmes et ne doit pas céder devant les pressions ou menaces de l'*Association des gynécologues-obstétriciens.

Un peu plus tard, j'annonçais officiellement mon intention de ne pas renouveler mon contrat comme directeur général du CLSC et de quitter mon emploi au début juin.

Le département de service social de l'Université de Sherbrooke allait m'offrir, à la même époque, l'occasion de procéder à un bilan un peu plus approfondi des CLSC puisqu'on m'invitait à parler aux étudiants des rapports de force internes et externes dans les CLSC. J'abordai le sujet en décrivant d'abord ce qui me semblait caractériser les structures des CLSC, c'est-à-dire leur autonomie, la participation des usagers qu'on y recherche et la volonté manifeste d'innovation. Ensuite, je tentai d'analyser la dynamique interne qui marquait la vie de chaque CLSC, avec comme principaux intervenants le conseil d'administration, la direction, les employés et les usagers. Quant aux éléments externes, il fallait compter sur les centres de services sociaux et les hôpitaux, les médecins omnipraticiens et finalement le ministère des Affaires sociales. Je terminai en m'interrogeant sur l'avenir des CLSC:

Le CLSC est un lieu de contradictions. Voici celles qui me semblent être les plus importantes:

1) Les intérêts des usagers et ceux du personnel: *partout, le personnel a toujours des intérêts opposés à ceux des usagers. Les employés recherchent de bonnes conditions de travail (moins d'heures, aux moments qui leur plaisent le plus, pas de contraintes ni de contrôles, etc.); pour la plupart, ils ont été attirés au CLSC par la possibilité d'y expérimenter des approches nouvelles; et leur action est souvent orientée vers la prévention et le long terme. Quant aux usagers, ils voudraient des services efficaces, le plus souvent calqués sur ce qu'on trouve ailleurs, mais en mieux ; et ils veulent des services concrets, qui répondent à des besoins immédiats. Dans d'autres types de services, la contradiction entre les intérêts des usagers et ceux du personnel n'éclate que rarement au grand jour, car les usagers n'y ont la plupart du temps ni les moyens d'exprimer leurs attentes, ni surtout le pouvoir de les traduire en décisions concrètes dans l'orientation du service ; au CLSC, la situation est différente et les usagers possèdent encore bien souvent une bonne dose de pouvoir.*

2) La centralisation et la décentralisation : *le ministère des Affaires sociales essaie constamment, par divers moyens, de contrôler le plus possible les divers services qu'il finance. Ce qu'il donne d'une main, il le reprend vite de l'autre. Les technocrates ne peuvent tolérer à l'intérieur du réseau des organismes autonomes. Mais à l'autre extrémité, dans les CLSC, les membres des conseils d'administration ont cru au discours sur la décentralisation ; ils veulent faire de leurs organismes des centres vraiment* locaux, *qui répondent aux besoins et demandes de* leur *population. Dans cette perspective, chaque CLSC devrait être différent.*

3) La volonté de répondre à tous les besoins et le besoin de ne pas grossir : *nombre de CLSC ont débuté lentement, dans des locaux conçus pour d'autres fins mais qui leur donnaient finalement un cachet spécial, d'autant plus qu'un effort particulier était fait pour donner, en réaction aux autres services, une atmosphère chaleureuse et un service décontracté et souvent partiellement déprofessionnalisé. Mais à mesure qu'ils étaient connus, les CLSC voyaient augmenter leur achalandage. À mesure aussi qu'ils pénétraient mieux leur milieu et qu'ils en découvraient les besoins, ils diversifiaient leurs programmes et augmentaient leurs services. Dans certains cas, les petites boîtes sont devenues des services de plus en plus considérables, dont la gestion requérait une organisation différente. Comment continuer à donner des services personnalisés, intimes et décontractés et en même temps répondre à tous les besoins ?*

Ces contradictions et d'autres qu'on pourrait trouver en cherchant un peu conduisent inévitablement à des affrontements et des conflits. Et l'expérience de nombreux CLSC a montré que chaque conflit aboutit à un nouvel équilibre où l'autonomie du CLSC et le pouvoir réel des usagers se trouvent diminués.

Mais malgré tout, l'expérience des CLSC m'apparaît positive pour l'évolution des services de santé au Québec, et cela, à plusieurs titres :

1) en faisant la preuve que le salariat des médecins est possible au Québec et qu'il permet même une pratique médicale d'une qualité supérieure à celle qu'on trouve avec la rémunération à l'acte ;
2) en ouvrant la porte à une participation effective des usagers, ce qui a déjà permis à plusieurs d'y fourbir leurs armes et d'aller exercer dans d'autres organismes publics une action plus efficace ;
3) en décloisonnant quelque peu les professions pour permettre une approche plus globale, mieux intégrée et parfois communautaire ;
4) en explorant le champ de la prévention et en expérimentant des mesures concrètes, nouvelles et fort prometteuses pour l'avenir.

En prévision de « l'après CLSC », je commençais à chercher des débouchés pour les articles que j'écrirais. J'avais pris contact avec diverses revues et quelques journaux. Le *Dimanche-Matin* se dit intéressé à mon offre d'y remplacer leur chroniqueur médical, qui semaine après semaine répétait les mêmes sornettes sur l'obésité pour justifier et alimenter sa clinique privée de traitement de l'obésité. Ma collaboration débuta en avril 1979 ; il fallait saisir l'occasion quand elle passait... D'ailleurs à l'époque je pouvais compter sur la collaboration d'Hélène Poirier, une étudiante en médecine qui faisait partie de l'équipe de *Médi-us* avec laquelle j'avais travaillé. Hélène avait laissé ses études pour un an, question de prendre du recul et de respirer quelque peu. Hélène faisait aussi partie du Collectif Socialisme et santé ; nous partagions donc bon nombre d'idées sur la médecine et la santé ; et elle possédait un talent littéraire incontestable. C'était donc sur elle qu'allait surtout reposer la responsabilité des chroniques des premiers mois ; nous décidions ensemble des sujets et des idées générales, je lui fournissais de la documentation, elle rédigeait et je révisais. Mais j'avais tenu à écrire seul la première chronique, celle qui en donnerait le ton et l'orientation :

À NOTRE SANTÉ

Au plan de la santé, nous, Québécois, devrions nous considérer comme très favorisés : nous pouvons voir tous les médecins que nous voulons, nous pouvons nous faire hospitaliser facilement au besoin, dans bien des cas nous pouvons même obtenir gratuitement nos médicaments. Et pourtant, nous ne nous en portons pas mieux ; nous continuons à être souvent malades, à ne pas nous sentir bien dans notre peau et même plusieurs d'entre nous meurent beaucoup plus tôt qu'ils ne devraient. Qu'est-ce qui arrive alors ? C'est fort simple : à ce jour, on s'est beaucoup plus préoccupé de la maladie que de la santé. On attend que les gens soient malades pour s'en occuper. On enseigne aux médecins, aux infirmières et à tellement d'autres professionnels à s'occuper des malades ; mais on ne leur dit pas comment aider les gens pour qu'ils ne deviennent pas malades. Les professionnels de la santé... sont des professionnels de la maladie ; on ne peut compter sur eux pour apprendre à garder sa santé.

C'est important, la santé ; ça nous permet d'apprécier la vie, de nous sentir bien dans notre peau, de réaliser différents projets. La santé, ce n'est pas seulement l'absence de maladie ; c'est important de ne pas être malade — on perd alors sa force, son goût de vivre, ses capacités mentales, etc. — mais c'est aussi important de pouvoir disposer de soi comme on l'entend : que notre corps réponde à nos demandes et nous conduise où l'on veut aller, qu'il soit beau, qu'il soit un instrument nous permettant de jouer, de pratiquer les sports qui nous plaisent, d'exécuter les tâches que nous voulons faire ; que notre esprit fonctionne bien et nous permette une pleine autonomie.

Comment arriver à cette santé que tous nous souhaiterions avoir ? Les professionnels, nous l'avons dit, n'en savent pas tellement sur le sujet ; par ailleurs, bien des gens qui ont compris l'intérêt de la population pour ce sujet se sont lancés dans le «commerce de la santé»; ils vendent des recettes, des aliments-santé, des programmes de mise en forme, des diètes-miracle; trop souvent, leurs intérêts financiers passent avant tout. Mais alors, que faire? Il va falloir que nous nous prenions en main; il va falloir que nous cessions de compter sur les autres; notre santé sera celle que nous nous donnerons.

Cette chronique voudrait justement être un instrument pour cette prise en charge qui me paraît être la condition essentielle de la santé. C'est notre *chronique; à vous et à moi,* à notre santé. *Notre chronique, car je n'ai pas la prétention de tout savoir, bien au contraire, et parce que je compte sur vous pour qu'ensemble nous cherchions des réponses aux questions que nous nous posons, pour qu'ensemble nous mettions en commun nos découvertes, pour qu'ensemble nous construisions* notre santé.

Assez curieusement, au moment même où j'inaugurais ma chronique dans *Dimanche-Matin*, les promoteurs d'une nouvelle revue, la *Revue québécoise de Sexologie*, me replongeaient dans l'époque de mes chroniques dans *Photo-Journal*; ils me demandaient en effet un article sur la sexologie, dans le cadre d'un hommage qu'ils voulaient rendre aux pionniers de cette science au Québec. Et c'étaient les lecteurs de *Photo-Journal* qui m'avaient fait parler de sexologie:

À PROPOS DE SEXOLOGIE...

Il y a dix ans, j'entreprenais la publication d'un «Cours de sexologie» qui s'étala sur cinq tomes; ce livre était la collection d'articles paraissant chaque semaine dans Photo-Journal *puis un peu plus tard dans* Québec-Presse. *Du jour au lendemain, j'étais consacré sexologue. Et pourtant...*

De 1958 à 1963, j'ai étudié en médecine à l'Université de Montréal. À part l'anatomie, je n'ai rien appris sur la sexualité. C'est dans ma pratique médicale que j'ai rapidement dû constater mon ignorance; mais ce sont surtout les lecteurs du Photo-Journal *qui m'ont ouvert les yeux. Parce que j'avais entrepris dans ce journal une chronique médicale, ils m'ont vite inondé de leurs lettres qui réclamaient des réponses à des questions qu'ils se posaient depuis longtemps, mais qu'ils n'avaient jamais pu acheminer nulle part. Timidement, j'ai commencé à répondre à quelques questions; ma franchise en a attiré d'autres, jusqu'au moment où j'ai constaté la nécessité d'aller plus loin que les informations ponctuelles pour livrer quelques éléments un peu plus globaux. Des cours donnés dans le cadre de l'enseignement aux adultes à cette époque m'ont aussi mis en contact avec la grande soif de savoir des gens. Et il fallait bien le constater, il n'y avait rien d'accessible à l'époque. Inconscient et téméraire comme je pouvais l'être, j'ai donc foncé et entrepris la publication de ma première série de cours. Je pensais faire le tour de la question en une dizaine d'articles; cela m'en a pris cent.*

J'écrivais mes articles à la semaine. D'une semaine à l'autre, j'apprenais, je m'instruisais, j'évoluais. J'essayais de rendre accessible à tous ce que je découvrais. Dans l'ensemble, j'affichais une attitude assez tolérante et ouverte; mais je véhiculais les valeurs de l'époque... Ce qui fait que ces textes ne sont plus tous adaptés. Malgré mes écrits, malgré les nombreuses conférences que j'ai été appelé à prononcer, malgré l'émission quotidienne d'information sexuelle que j'ai mise sur pied (à CKVL), je ne me suis jamais considéré comme sexologue. J'étais ce qu'on pourrait nommer un « vulgarisateur », même s'il s'agit d'un mot que je déteste; « vulgariser » a la même racine que « vulgaire », et ce n'est pas ce que j'ai l'impression de faire; je rends accessible, je démocratise des connaissances, mais je ne les dénature pas, je ne les salis pas.

Aujourd'hui, j'ai pris beaucoup de recul par rapport à la sexologie; on continue à me demander des conférences, mais je refuse systématiquement. J'ai cessé de lire dans le domaine. La sexologie a évolué et s'est acheminée vers la thérapie; il semble qu'on en sache assez sur l'anatomie et la physiologie pour commencer à vouloir intervenir et assister ceux qui se sentent en difficulté. Cette orientation ne m'intéresse pas; la sexologie individualise de plus en plus les problèmes, comme la médecine, la psychiatrie ou la psychologie le font. La sexualité humaine est un phénomène social et les problèmes qu'on y éprouve résultent de la société; c'est sur celle-là qu'il faut travailler et non tenter de réadapter ces êtres trop sensibles qui n'arrivent plus à oublier toutes ces contraintes qu'on leur impose et à faire l'amour avec plaisir.

Le contexte social actuel ne favorise pas l'épanouissement sexuel ; nous vivons en effet dans un régime capitaliste ; la logique de tout système capitaliste est le profit, et cette logique est l'antithèse de la logique du plaisir. L'opposition est trop évidente pour que je la développe. En voici quelques thèmes :

profit	plaisir
production	
— stress	invention
— pollution	création
— spécialisation	gratuité
— efficacité	découverte
consommation	
— alimentation facile	
et rapide	partage
spectacle (voir, ne pas faire)	jouissance
sexe $$ (films, revues, porno)	

Si aujourd'hui je voulais aider les gens au plan sexuel, je ferais tout en mon pouvoir pour convertir le plus grand nombre à la logique du plaisir. En régime capitaliste, le plaisir vrai est subversif, il devient sabotage de la production et de la consommation. Il transforme les instruments du Capital en armes contre le Capital. Il ne faut pas s'illusionner : le renversement du capitalisme est une condition préliminaire à l'épanouissement sexuel pour tous. La sexualité s'épanouira au déclin du capitalisme ; par contre, tout ce qui favorise l'épanouissement sexuel affaiblit le capitalisme. Aussi faut-il revendiquer les conditions qui permettent une sexualité libérée : la non-ingérence de l'État dans la vie privée, la liberté d'orientation sexuelle, la contraception et l'avortement libres et gratuits, etc.

La droite, l'Église catholique en tête, souhaite le maintien du statu quo, c'est-à-dire les privilèges d'une minorité aux dépens de la majorité ; c'est pourquoi elle se bat avec tant d'acharnement contre la libération sexuelle. Le combat pour la libération sexuelle est politique ; les sexologues le comprendront-ils à temps ? Ou, dans leurs efforts pour convaincre de leur « professionnalisme », essaieront-ils de demeurer « neutres » et « scientifiques » ? La science n'est jamais *neutre, malgré toutes les bonnes intentions ; alors aussi bien la mettre au service de la majorité.*

Le 27 mai, j'étais invité à participer, en tant que personne-ressource, au colloque sur la déprofessionnalisation organisé par la revue *Critère*. J'y faisais la présentation suivante dans l'atelier intitulé « Démédicaliser et déprofessionnaliser les services de santé » :

La médecine nous a mystifiés; en effet, les médecins se sont arrogé la responsabilité exclusive de la santé; à cause de divers facteurs, ils ont réussi à empêcher toute intrusion dans « leur » domaine. Mais de plus en plus ce monopole est mis en question; non pas de l'intérieur, car les médecins continuent à croire que ce sont eux qui détiennent LA vérité, mais de l'extérieur, depuis que des épidémiologistes et des statisticiens ont commencé à examiner de plus près les résultats de la médecine et qu'ils ont trouvé que les progrès de la santé n'étaient pas imputables aux pratiques médicales mais à d'autres facteurs comme l'amélioration de l'hygiène publique (égouts et aqueducs), l'accès à la contraception et la baisse de la malnutrition.

En même temps que se fait l'analyse des actions médicales progresse la notion de la globalité des problèmes. Les responsables de la santé publique s'inquiètent de la montée croissante des coûts des services sans amélioration proportionnelle des indices de santé; et comme rien ne semble vouloir freiner cette ascension, ils commencent à chercher d'autres approches moins coûteuses. C'est dans cette quête de méthodes plus économiques et plus efficaces qu'il faut situer la sympathie actuelle face à la prise en charge des usagers de leur propre santé. La stratégie des planificateurs me semble également comporter une volonté d'affaiblir le monopole des médecins en multipliant les autres professions de la santé; de cette façon, on en vient à avoir plus de professionnels qui se disputent le pouvoir entre eux, mais qui globalement ne disposent pas de plus de pouvoir, au contraire même. Dans cette volonté de développer de nouvelles approches, les CLSC m'apparaissent comme des précurseurs et finalement ils servent de laboratoire. Leur expérience est déjà concluante, en ce qui regarde la démédicalisation de la santé :

- *contrairement à ce qui se fait dans les autres services de santé, les médecins y travaillent à salaire;*
- *ils doivent se soumettre à des évaluations plus ou moins poussées faites par des non-médecins : à l'embauche et même en cours d'emploi;*

— ils font partie, au même titre que les autres travailleurs du CLSC, d'équipes de travail où ils ne jouissent d'aucun statut spécial.

Cependant, il ne faut pas se faire d'illusions : tout n'est pas gagné :

— même dans les CLSC, on trouve encore beaucoup de résistance chez les médecins qui ne veulent pas facilement se départir de leur pouvoir ;
— on peut aussi se demander si les gens veulent vraiment la déprofessionnalisation. Car c'est exigeant de se reprendre en main, alors qu'il est tellement facile de s'en remettre entre les mains d'un autre doté de pouvoirs réels ou imaginés, mais à qui on accorde une confiance aveugle.

Quelle que soit la difficulté, il me semble qu'il ne faille pas abandonner, que nous devons reprendre en main notre santé. Certes nous aurons toujours besoin de techniciens de la maladie (et non de sorciers) que nous devrions pouvoir contrôler de l'extérieur et non abandonner à leur auto-contrôle ; mais pour la santé, il devient de plus en plus nécessaire d'avoir accès aux connaissances que contrôlaient les professionnels, car la santé ne relève pas des médecins et autres spécialistes mais de décisions politiques et individuelles.

Le premier juin 1979, je quittais le CLSC. J'écrivais, dans mon journal :

J'ai tout de même une veine incroyable d'ainsi pouvoir choisir de modifier en cours de route le tracé de ma vie. Parfois je me dis qu'à ce jour, je n'ai pas construit grand-chose ; mais au moins Solange et moi avons réussi d'abord à ne rien construire de définitif et regrettable — c'est déjà beaucoup — ensuite à nous donner un style de vie qui nous permette cette liberté de cesser de travailler ; nous avons refusé la société de consommation et pouvons nous accommoder de fort peu, ce qui nous permettra de vivre de longs mois avec nos économies et quelques articles ou autres travaux à la pièce à l'occasion. Une nouvelle vie qui commence !

Mon départ coïncidait avec celui d'un autre directeur, Jean Lavigne, du CLSC Soc de Sherbrooke ; je m'étais souvent retrouvé à ses côtés, dans nos efforts pour doter le Québec de CLSC valables. Notre départ fut signalé dans la publication de la Fédération des CLSC par le témoignage suivant de Maurice Roy, directeur du CLSC Le Samaritech à Brossard :

Jean Lavigne et Serge Mongeau auront été directeurs généraux de CLSC pendant très longtemps si nous référons à l'espérance de vie du directeur général moyen. Les deux ont vécu la période « héroïque ». La période durant laquelle tous avaient la foi. Une période pleine d'ébullition, d'effervescence et de créativité. Une période durant laquelle des erreurs et des abus se sont glissés mais une période durant laquelle des innovations et des découvertes ont apporté un peu d'air frais dans un réseau fort jeune mais combien empoussiéré.

La cohérence de ces deux « administrateurs » en a étonné plusieurs. Les deux croyaient en ce qu'ils disaient et essayaient avec toute leur fougue et leur énergie à faire ce qu'ils disaient. Ils ont essayé longtemps. Assez longtemps pour que les résultats se fassent sentir... et sans doute jamais à leur satisfaction. Les deux auront vécu plus d'une crise et ils les ont assumées.

Lavigne et Mongeau auront été des prophètes dans le sens fort du terme. Pendant tout le temps qu'ils auront été dans le réseau, ils n'ont cessé d'interpeller les différents intervenants sur les besoins des usagers, sur le droit qu'ils ont d'être écoutés et de décider, sur l'importance de la prise en charge des usagers par eux-mêmes, sur la nécessité d'intervenir sur les causes des problèmes et non sur les symptômes périphériques.

Les deux auront profondément marqué et influencé l'idée qu'on peut avoir du CLSC et auront grandement contribué à en actualiser les éléments fondamentaux. Les deux auront également profondément marqué la Fédération des CLSC. Enfin les deux auront convaincu plusieurs sceptiques non pas de l'idée même du CLSC mais qu'il est possible de la réaliser.

J'ai beaucoup de peine à m'imaginer qu'on ne les verra plus sur quelques-uns des multiples comités, aux congrès de la Fédération des CLSC et aux différents colloques. Ils seront peut-être remplacés par d'autres. Je souhaite cependants qu'ils continuent à nous interpeller.

CHAPITRE 10

AUJOURD'HUI, LA SANTÉ

J'avais laissé le CLSC pour écrire ; mais je n'arrivais pas à produire quoi que ce soit de valable. C'était l'été, je jardinais beaucoup et j'avais plusieurs travaux de réparations en marche. J'avais besoin de me dépenser physiquement. En prévision du premier marathon international de Montréal, prévu pour le 25 août 1979, j'avais aussi commencé à m'entraîner. Il me semblait que par la course à pieds, je pourrais équilibrer ma vie ; vu que j'allais travailler à la maison et que plus souvent qu'autrement je serais assis à mon bureau, cette activité me permettrait de me tenir en forme. Une fois mon entraînement commencé, je me suis laissé prendre au jeu et j'ai décidé de m'y mettre sérieusement pour faire plus que simplement courir les 42 kilomètres du marathon : je voulais parcourir cette distance dans un temps rapide. Je courais donc tous les jours, pour un total de 115 kilomètres par semaine. Course et travaux manuels ne me laissaient pas grand énergie pour quoi que ce soit d'autre.

Le 25 août, j'ai couru le marathon. En trois heures, une minute et quelques secondes. Au total, durant l'entraînement et la course elle-même, j'avais maigri d'un peu plus de cinq kilos ; il ne me restait que la peau et les os, mais je m'étais totalement désintoxiqué de l'expérience vécue au CLSC ; car j'avais gardé beaucoup d'amertume de ces affrontements directs ou insidieux avec des gens que j'avais aimés et qui, au nom d'une pseudo-lutte de classe, ne cherchaient plus qu'à me faire trébucher.

À l'automne, j'ai repris la plume... et ma réflexion sur la santé. Dans le *Dimanche-Matin* du 2 septembre, je semonçais quelque peu les lecteurs et surtout je procédais à mon autocritique :

«Il y a déjà quelques mois que j'ai inauguré cette chronique ; il me semble donc opportun de tenter un premier bilan.

Dans mon premier article, j'ai expliqué que je concevais cette chronique comme un lieu d'échange, où nous mettrions en commun nos expériences, nos lectures, nos connaissances et nos réflexions sur la santé. Je vous ai demandé de m'écrire... "pour questionner, pour suggérer, pour échanger" ; très peu l'ont fait. Pourtant, je sais que nombreux sont ceux qui lisent la chronique : on m'en parle souvent et quand j'ai signalé des publications intéressantes, les demandes pour ces écrits ont afflué. Je me demande donc pourquoi vous n'avez pas plus "embarqué", pourquoi vous ne participez pas davantage. Serait-ce par manque d'intérêt ? Non, je ne crois pas : la santé, c'est important et fort nombreux sont ceux qui portent une grande attention à cette question. Alors ? Eh bien, je crois qu'il faut chercher la réponse à cet état de fait d'une part dans le style de la chronique, d'autre part dans l'attitude de l'immense majorité vis-à-vis des professionnels.

La plupart du temps, mes chroniques ont servi à vous livrer des connaissances sur le fonctionnement du corps et sur certaines maladies ; c'était le professeur qui transmettait aux "enseignés" le savoir. J'ai bien essayé de ne pas trop tomber dans ce travers, mais ça n'est pas facile.

Car quoi que je fasse, je demeure à vos yeux un "professionnel" de la santé ; et les professionnels de la santé ont réussi à s'approprier totalement le domaine de la maladie et de la santé de telle sorte que les non-professionnels en viennent à se croire totalement inaptes à prendre quelque décision que ce soit dans ce domaine; d'après cette mentalité, toute la question de la santé serait si complexe que seuls quelques initiés — les professionnels — seraient en mesure de s'y comprendre et d'émettre des avis valables. Dans cet esprit, on comprend que mes appels à vos opinions soient restés sans échos; vous vous êtes sans doute dit: "Non, c'est vous le professionnel de la santé qui savez quoi dire, ce que je peux penser sur le sujet n'a aucune importance, continuez à nous écrire de belles chroniques".

Les professionnels de la santé connaissent fort peu de choses sur la santé, aussi étonnant que cela puisse paraître; on leur a montré à identifier les maladies et à les soigner, mais on ne leur a presque rien dit sur la façon d'acquérir et de conserver la santé. Des étudiants américains sont allés voir des médecins en leur disant qu'ils n'étaient pas malades, mais qu'ils voulaient savoir comment faire pour rester en santé; les médecins les ont référés à des psychiatres! Ils ne pouvaient absolument pas concevoir que quelqu'un vienne les consulter sans être malade et comme à l'examen ils ne trouvaient aucune maladie physique, ils en concluaient à une maladie mentale. Je suis convaincu que si l'on tentait la même expérience auprès de nos médecins québécois, on obtiendrait exactement les mêmes résultats: notre médecine est américaine, étant régie par des standards américains.

La santé, ça n'est pas une question de pilules ni de consultations plus ou moins régulières. La santé, c'est une question de style de vie et d'environnement; et ce ne sont pas les professionnels de la santé qui peuvent prendre les décisions pour nous. C'est à moi de décider d'être actif, de manger de telle ou telle façon, de me détendre et de dormir tant d'heures; de me priver du plaisir de fumer, etc. ; c'est à nous de faire pression sur nos représentants politiques pour qu'ils s'occupent en priorité des problèmes de pollution, pour qu'ils mettent au pas les patrons qui nous font travailler dans des conditions inacceptables, pour qu'ils écoutent nos revendications et œuvrent à nous construire une société où il fasse bon de vivre.

L'organisme humain est fait pour durer certainement un bon cent vingt ans, si ce n'est pas plus. Pourtant, les centenaires sont rares chez nous; et plusieurs de ceux qui atteignent un âge avancé sont dans un tel état de détérioration physique ou mentale qu'ils ne constituent pas une incitation à se rendre à cet âge. Mais il y aurait moyen qu'il en soit autrement, qu'on vive longtemps et d'une vie qualitativement appréciable. Pour ce faire, il faudra changer beaucoup de choses dans nos vies. Le corps humain a été modelé, au fil de l'évolution, pour vivre dans la nature, avec ce que cela implique au niveau de l'alimentation et de l'exercice physique; or nous vivons à une époque où, pour différentes raisons, notre nourriture est de plus en plus raffinée et où les efforts exigés de notre corps sont de moins en moins considérables ou en tout cas fort éloignés de ce pourquoi nous avons été "programmés".

Il ne s'agit pas de tout laisser là et d'aller nous disperser dans les forêts pour retrouver le style de vie de nos ancêtres; quand bien même nous le voudrions, cette solution ne serait plus possible, au nombre d'habitants que nous sommes sur la Terre. Il ne s'agit pas non plus de tourner le dos au progrès; l'humanité a avancé et il y a des progrès véritables dont nous devons profiter. Mais en même temps, le faux voisine le vrai, l'inutile masque l'utile, le superflu remplace même le nécessaire. Si nous voulons retrouver les conditions idéales pour notre santé, nous devrons prendre des décisions et changer nos styles de vie.

C'est à la recherche des moyens pour atteindre cette meilleure vie que je voudrais consacrer cette chronique. Comme vous, j'ai mes problèmes de santé et j'essaie de m'en sortir; comme vous, je suis influencé par cette publicité et cette atmosphère de facilité qui nous entourent; comme vous, je respire un air pollué, je mange des produits chimifiés, je suis sollicité par des loisirs toujours plus commercialisés. Mais avec vous, je veux chercher à m'en sortir; je veux identifier les actions les plus importantes à mener. Avez-vous songé quelle force nous représentions, vous et moi, lecteurs-auteurs de cette chronique? Nous sommes des centaines de milliers.»

Dans les mois qui suivirent, j'écrivis beaucoup; je travaillais à ce livre, mais j'y consacrais de moins en moins de temps, à mesure que se multipliaient les contrats comme pigiste; je collaborais bientôt avec *Châtelaine, l'Actualité* et *Protégez-vous*, tout en doublant mon espace dans le *Dimanche-Matin.* Mon livre allait rester en chantier...

Au printemps 1980, nous décidions, à quatre (Lise Langevin, Solange Monette, Jean Thibault et moi), de lancer un nouvel organisme pour aider les divers intervenants dans le domaine de la santé à adopter une nouvelle vision de la santé et des actions à mener; nous fondions donc *Ressources-santé Québec.* Nous nous définissions ainsi:

> *Nous voulons, à* Ressources-santé, *arriver à ce que les gens se prennent en charge dans le domaine de la santé; et pour ce faire, voici les moyens que nous privilégions:*
>
> — *prendre conscience des divers facteurs qui peuvent affecter la santé;*
> — *acquérir des connaissances sur le corps et son fonctionnement, sur les moyens de se garder en santé ou de se guérir quand la maladie survient;*
> — *développer un esprit critique vis-à-vis des diverses solutions qui sont actuellement offertes;*
> — *s'organiser avec d'autres pour se donner ou obtenir des conditions sociales épanouissantes.*

Nous avons organisé quelques sessions de formation à l'intention du personnel et des membres des conseils d'administration des CLSC et avons réalisé quelques autres petits contrats, mais ce fut finalement fort peu, car personne du groupe n'avait beaucoup de temps à y mettre.

En décembre 1980, la Fédération des étudiants en médecine du Québec m'invitait à écrire dans son journal; j'en profitais pour essayer de convaincre les étudiants de venir donner un coup de main à l'*Association québécoise pour la promotion de la santé*, qui avait bien besoin d'aide:

Une fois encore, nous devons faire un bilan négatif de notre capacité à recruter ces gens qui voudraient devenir des «consommateurs avertis» dans le domaine de la santé. À force de tenter d'intéresser la population aux divers problèmes de la santé, nous avons découvert qu'il est extrêmement difficile de mobiliser les gens pour cette cause. Nous avons bien quelques hypothèses sur les raisons de ce phénomène — la mystification de tout le domaine de la santé, le sentiment d'impuissance face à des structures gigantesques, l'insouciance devant des problèmes qu'on espère ne jamais devoir affronter — mais finalement, nous ne savons pas exactement pourquoi nous éprouvons de telles difficultés à bâtir une organisation qui puisse devenir réellement efficace.

Pourtant, il nous apparaît très clair que notre association doit continuer à exister. De nombreuses personnes s'adressent à nous pour tenter d'obtenir de l'aide dans leurs efforts pour trouver des soins adéquats; les services de soins de santé sont en constante évolution et de nombreuses décisions s'y prennent sans qu'on tienne toujours compte des intérêts des consommateurs; les informations manquent souvent aux gens qui voudraient se prendre en charge dans le domaine de la santé; etc. Il nous semble que nous avons une large place dans l'éventail des mouvements qui caractérisent notre société, mais nous n'arrivons pas à l'occuper. Cependant, nous ne désespérons pas. Le petit noyau de militants que nous sommes continue à travailler d'arrache-pied; à cause de notre nombre, nous avons surtout restreint notre action à l'information.

Il me semblerait fort intéressant que des étudiant(e)s en médecine sortent quelque peu de leurs livres et s'impliquent dans une association comme la nôtre. D'une part, les futurs médecins apprendraient à connaître de l'intérieur les problèmes que rencontrent les usagers dans leur quête de meilleurs services de santé et ils pourraient ainsi s'associer à d'autres pour poursuivre une critique fort nécessaire des services actuels et une recherche des moyens de les améliorer. D'autre part, ils pourraient constituer, par les connaissances qu'ils ont déjà acquises, une contribution importante aux diverses tâches que l'Association s'est données et qui sont fort nombreuses.

Je continuais à écrire beaucoup d'articles, mais je n'étais pas satisfait; j'avais l'impression de ne toujours aborder que fort superficiellement les divers sujets que je traitais; et j'étouffais quelque peu dans les contraintes imposées par le style propre à chaque revue. Aussi quand au printemps 1981 Jacques Fortin, le p.d.g. des *Éditions Québec/Amérique*, m'a proposé d'écrire des livres sur la santé et de lancer puis de m'occuper de la collection *Prévention-santé*, il m'a fallu fort peu de temps pour accepter son offre. Je mis quelques mois à terminer mes autres engagements et pus par la suite me consacrer presque uniquement à la rédaction de livres; je ne gardais que ma chronique du *Dimanche-Matin* et refusais systématiquement les demandes d'articles.

*
* *

J'écris, mais je vis aussi. J'essaie de trouver les meilleures conditions pour la santé; en lisant, en réfléchissant, en discutant — en particulier avec les membres du *Collectif Socialisme et santé*. Je tente d'aller plus loin que la théorie en vivant dans des conditions qui favorisent la santé. Je cours régulièrement; j'y vais parfois jusqu'à la limite de mes forces, mais j'apprécie ces longs moments de débridement intellectuel et la relaxation qui suit; et j'apprends à connaître et à aimer mon corps. Je profite des tennis municipaux gratuits pour pratiquer ce sport si fin, mais si exigeant. L'été, je mets beaucoup de temps à mon potager que j'agrandis d'année en année, car nous comptons toujours plus sur nos fruits et légumes pour nous alimenter; les techniques organiques que j'utilise me demandent du temps, mais elles m'assurent d'une nourriture d'autant plus saine; et je rêve du jour où je pourrai disposer d'une petite serre pour allonger ma saison de jardinage. Quand il le faut et quand je peux, je répare et bricole, autour de la maison ; j'abhorre les outils électriques et j'essaie de tout faire manuellement.

En vivant de cette façon, je me trouve heureux et m'estime en excellente santé. En tout cas, la maladie affecte rarement ma famille ; et lorsque cela arrive, les méthodes les plus simples et à notre portée conviennent la plupart du temps pour nous guérir.

Je sais bien qu'il n'est pas donné à tous d'avoir des conditions si favorables ; mais je crois que si nous le désirions, nous pourrions arriver à ce que cela soit possible pour la majorité. C'est d'ailleurs ce message que j'essaie de diffuser au maximum par mes écrits, mes entrevues et mes conférences. Nous possédons les ressources matérielles pour assurer à chacun un minimum vital et lui permettre des conditions de vie optimales pour la santé ; mais, collectivement, nous gaspillons ces ressources et nous nous détruisons peu à peu.

Il ne faut cependant pas désespérer ; en effet, de plus en plus de gens se trouvent insatisfaits de leur vie actuelle et cherchent les moyens d'arriver, eux aussi, au bonheur et à la santé. Il y a de nombreux bouillonnements dans notre société et il est fort possible que nous arrivions à faire éclater ces structures qui nous étouffent. Nous sommes loin d'être une société morte et tous les espoirs sont encore permis.

TABLE DES MATIÈRES

COMPOSÉ AUX ATELIERS
GRAPHITI BARBEAU, TREMBLAY INC.
À SAINT-GEORGES-DE-BEAUCE

Achevé d'imprimer
en octobre mil neuf cent quatre-vingt-deux
sur les presses de l'Imprimerie Gagné Ltée
Louiseville - Montréal.
Imprimé au Canada